KB103779

俺の日本語。

自分だけの道を歩む

ドドド

TOTODO HOLDINGS

大阪、ユニバーサルスタジオジャパン

熊本、水前寺成趣園

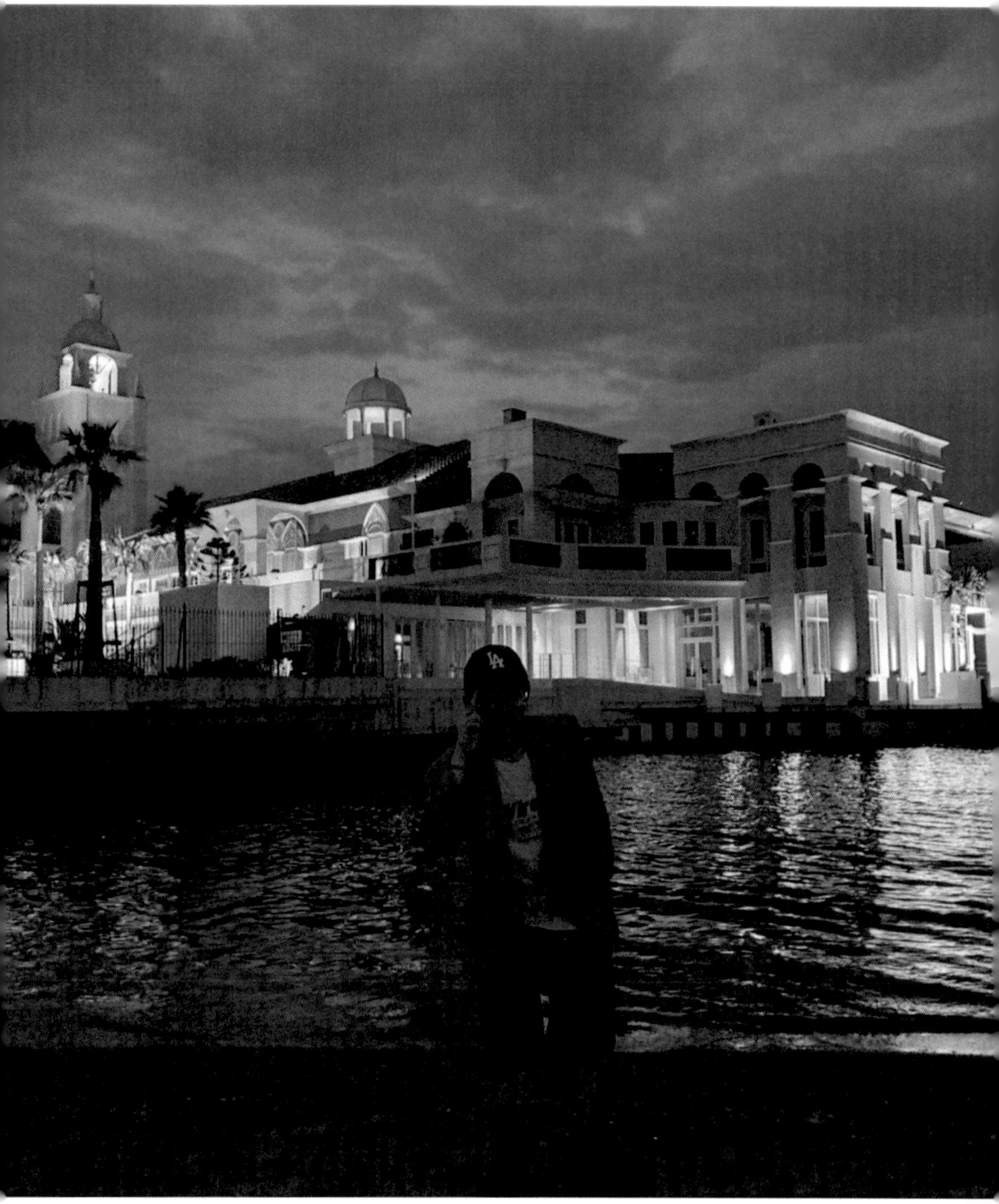

名古屋、栄

プロローグ

この本を手に取ってくださった方はどんな方だろうか。
多分そういう方々だと思う。
「自分の道は自分で作る。」みたいな。

なぜだろう。
疑問の余地なく、学ぶべきの言語は確か英語の方だ。
なのになぜ、日本語に時間や努力を注ぐんだろう。

それは決まっている。
自分が自分の「ファン」だからだ。
この本を読んでいる皆様はちゃんと自分の感情を尊重できる、そういう人であろう。

COPYRIGHT © 2024 TOTODO HOLDINGS
ALL RIGHTS RESERVED

話した通り、この本は誰かが必要だと思い込ませてさせられる「試験のための勉強」とかじゃなくて、自分が好きなやり方で自分が行きたい場所まで楽しく行ける道を導いてあげるために作られた。


「言語って難しいものじゃない？」

「一人で勉強できるの？」

「楽しい勉強ってある？」

「じゃ、どう始めればいいいんだよ。」


俺が一人で勉強をしながら抱えてた問題たちであり、皆さんがこの一冊で全部飛ばされる予定の文たちだ。


10年以上アニメを観ても日本語が全然聞こえなくて話せなかった人。

暗記力が良くなくて理解する方法しかできない人。

こんな人が一人で勉強をした。

「どんな本がいいかな?」、「暗記が全くできない。どうしよう。」、「人見知りで日本人と話し合うのは無理だ。」、「考えてみたらめちゃくちゃ非効率的だったじゃん!」

こんなドドトでも自由に日本旅行をして、好きなアニメのセリフを直感的に感じて、日本のユーチューブのチャンネルを運営して、ネットで日本語のコンテンツを見ることができて、結局この本まで書いている。

英語が苦手だった俺は自信がなかった。

けれど日本への愛だけで打ち込み、「言語って簡単ですごく楽しいものだな!」がわかった。

俺は英語がダメだったんじゃなかった。

学校のやり方、世間に溢れる無駄な知識たちがダメだったのだ。

「言語は難しいものだ!」

「俺はこんな名門大学の日本語専門だったぞ!」

「言語って誰もかも教えられるものじゃないんだよ!」

COPYRIGHT (c) 2024 TOTODO HOLDINGS
ALL RIGHTS RESERVED

俺はこんな商人たちの時代を終わらせるために来た。

この本を通じて自分の最強の勉強法を取れるようにしてやる。

この一冊であなたは日本語、日本語を超えて他の言語生活も自信を持って歩けるようになれ流だろう。


小言はここまでにして。。


準備物は様々な日本への愛だけ！

この本を注文して読んでいるほどの熱い熱情を期待しているね。

さあードドトの「異世界学園」の扉を開こう。

ようこそ、「俺の日本語」へ！


あ、なんで俺の写真があるのかって？

「俺の本」だからね！（笑）

ドドト

俺の日本語。自分だけの道を歩む　目次

COPYRIGHT © 2024 TOTODO HOLDINGS
ALL RIGHTS RESERVED.

第一章

自分の道は自分で決める。

「お酒は好きか？」

情意フィルターの仮説

1. 同期

①

②

③ 趣味の享有

④ 健康上の利点

⑤ さらなる思考の視点

⑥ 韓国語に対する深まる理解度

2. 自尊感情

- 韓国語がペラペラ話せるということは外国語も同じように喋れるということだ。
- 俺の宣言

動機で書いたことを現在形で書き直してみよう。

①

②

3. 落ち着き

- お酒が言語に与えるすごい影響

- 赤ちゃんはみんなこういう環境で学ぶ。

COPYRIGHT © 2024 TOTODO HOLDINGS
ALL RIGHTS RESERVED.

目標が重要な他の理由

1.　網様体賦活系（Reticular Activating System, RAS)

　脳幹にあるニューロンのネットワークで、意識、エアロゾル、注意力、睡眠覚醒サイクルの調節に不可欠。

　入ってくる刺激をフィルタリングし、無関係な背景雑音と重要な感覚情報を区別する。

2.　脳の可塑性

　タクシー運転手はロンドンのすべての道を暗記している。

　半径 10km 以内の道路(一方通行と回転禁止を含む)6万余りの道路と１０万余りの主要地点を覚えるのである。

　UCL の神経科学者たちが彼らの脳を研究したところ、驚くべきことが起こった。

　この膨大な量の情報を暗記している間に、脳に変化が起こったのだ。

俺の日本語

研究者たちは、神経撮影技術を用いて、タクシー運転手の脳のいわゆる海馬と呼ばれる部位が大きくなっていることを捉えた。

今、俺たちが持っている脳が一生私たちの脳ではなく、人間には変化を生み出す能力があるということだ。

3. 日常で使う単語の数

大人の日本人が1日に使う言葉の数は平均800~900語程度。

専門的な単語たちを話さないとならない大学生たちは？

平均1000~2000語となる。

普段に使う単語じゃなくて知ってる単語も見てみよう。

教養のない大人は15000~30000語、教養のある大人は30000~50000語だ。

自分の目的によって、覚える単語の数は全然違うってことだ。

COPYRIGHT (c) 2024 TOTODO HOLDINGS
ALL RIGHTS RESERVED

日本人と話すことが目的だった場合は1000~2000語だけでいいし、本や文章を読む必要がある人は5000語ぐらい知っておかないといけないのだ。

文章を読んだり書いたりしたい人は、まずリスニングで約800~900語でその言語に慣れ、必ずどこかの時点で本や専門書に移る必要がある。

でもリスニングで始めることは万国共通なので、気軽く始めよう！

COPYRIGHT © 2024 TOTODO HOLDINGS
ALL RIGHTS RESERVED.

「日本語の実力が伸びない気がするって？」

獲得と学習の仮説

- 言語の獲得は個人が自然で直感的で無意識に行われる過程だ。
  - 제 2 외국어 습득의 원리와 실체 (1982) 스티븐 크라센
- 言語は伝統的な方法で教えるには複雑で抽象的すぎる。
  - 입력에서 출력까지 (2002) 빌 반 패튼

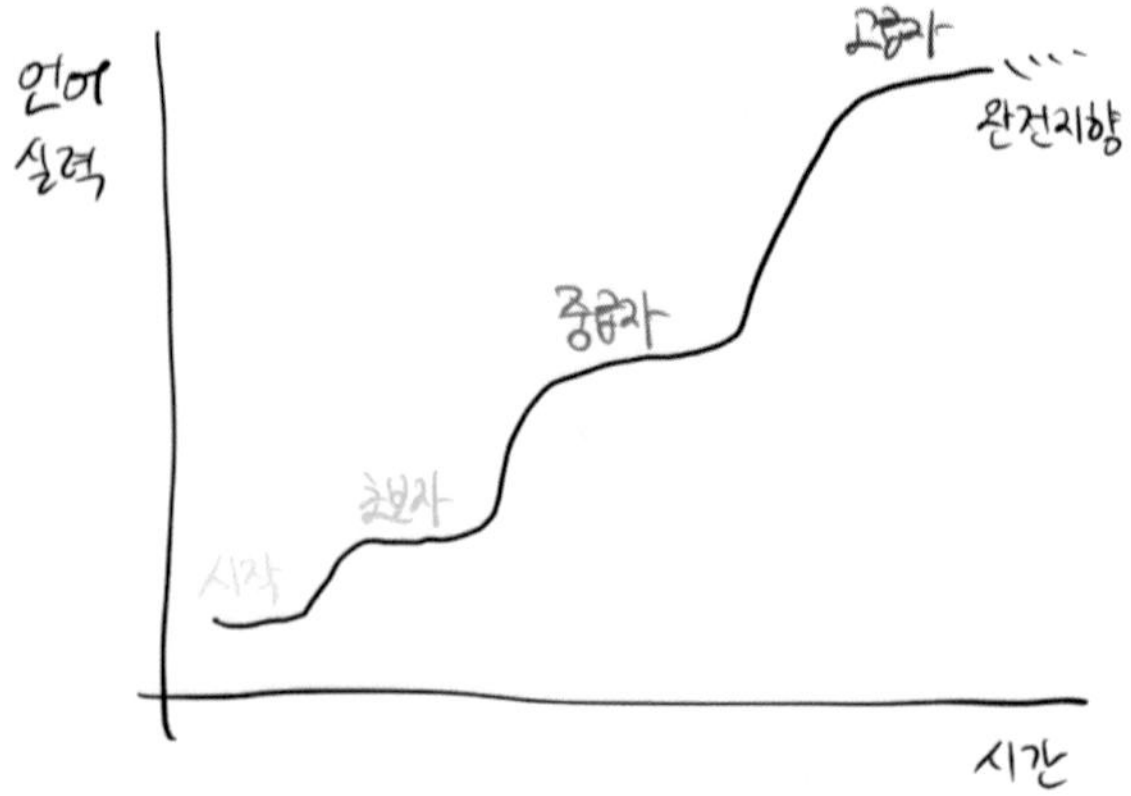

COPYRIGHT (c) 2024 TOTODO HOLDINGS
ALL RIGHTS RESERVED.

「MBTIはE?・それともI?」

インプット仮説とアウトプット仮説

言語はインプットで獲得できる。
アウトプットである「話し」と「書き」は言語の獲得と関係がない。
アウトプットはインプットで獲得した言語の結果。

一週間、赤ちゃんチャレンジ!

赤ちゃんは何も喋れない６ヶ月１８ヶ月間の「沈黙の期間」というのがある。
この期間にはわからない音を出すことはあっても、意味がある言葉は出せない。
ただし、言葉がインプットされる期間だ。
この期間に赤ちゃんの言語習得装置が活性化し、言語能力の元が形成される。

	口語体	文語体
インプット	聞き👂	読み👁
アウトプット	話し👄	書き✍

アウトプットのタイミング

じゃ、アウトプットはいつしたらいいのか？

まずはスピーキングから。

それは「自然に『言いたい！』と思った時」だ。

あの瞬間は人それぞれ違う。

スピーキングは、上級者を目指さない限り、意図的な練習を必要としない無意識のプロセスである。

スピーキングの練習をすることで、言語のレベルよりも、主に発音を改善することになる。

だからタイミングは自分お性格によって、自然な時が一番いい時だ。


次は書き。

書くことは言語獲得の結果である。

目標言語を獲得する前に書く必要は全くないのだ。

COPYRIGHT (c) 2024 TOTODO HOLDINGS
ALL RIGHTS RESERVED.

「じゃ、最高のインプットは何？」

インプットを選ぶ絶対的な基準

0. 動機
1. 理解可能
2. 高い質
3. 莫大な量
4. 想像力の刺激

0番の「動機」が一番大事な基準だ。

1・2・3・4番の基準が満たされても動機、つまり興味が感じられない場合は何の意味がない。

そうなので、日本語の教材・J-POP・アニメ・ニュース・ゲーム・低いレベルの絵本・高いレベルの小説など…どんなものを選ぶということは効率が悪い。

自分の動機、興味を基準にして選ぶがいい。

ありそうな質問

Q1: じゃ、JLPTの勉強をしている場合にはどうすればいいですか？

A: 一応、興味がなかったら人生で重要ではないことのことが多い。

でもどうしてもやらなくちゃいけないって決めたらできる限り楽しくやらないとね。

漢字は暗記じゃなくて原理を習得し（後で方法が出る）、「벼락치기」じゃなくて毎日軽くて楽しくし続け、アニメ・J-POPなど自分が好きなことを楽しめながら勉強して「俺が勉強したのここに出たぞ！」という状況を作ること。

こういうのがいい方法だね。

でもテスト勉強みたいに勉強しても「楽しい」って思える人ならそれで全然いい。

一番重要な動機、つまり興味を持ってるかどうかなんだからね。

COPYRIGHT © 2024 TOTODO HOLDINGS
ALL RIGHTS RESERVED.

そして一番大事なことは「俺が楽しく勉強するのが本体で、テストを受けることや合格の可否などは付随的な問題だと思うこと。

テストと合格証は道具に過ぎない。

実際に俺はN2が目的だった頃、一人でN4の模擬テストを行なって合格点が出たのですぐN2の勉強に入った。

N2を取るのが目的だからN4は必要ないんじゃない?

時間とお金の無駄。

もう一回言わせてもらうけど、道具は利用するものだ。

テストに中毒され、自分が何か一生懸命やってるという勘違いはやばいぞ。

Q2: アニメや映画を見る時、字幕消した方がいいですか？

A: おい、人生には字幕なんてついてないぞ(笑)。

俺らが動画を字幕と一緒に見る理由はモヤモヤするからだ。

ないとわからない部分ができちゃうから。

でもさ、赤ちゃんって親の全ての言葉がわかるかな。

違うね。だからモヤモヤしたり、自分の全部である親の言葉がわかりたくて頑張るんだ。

だから字幕って消した方がいい。

その方が人生に似てて本質的だ。


でも俺がなんって言ったっけ？

最優先の順位は「動機」、つまり「興味」って言ったよね？

字幕を消したらわからなくて興味がなくなってしまう場合があるかもしれない。

だとしたらそのコンテンツより好きなやつを字幕なしで見るか、それとも字幕をつけて見る方がマシだよね。

COPYRIGHT (c) 2024 TOTODO HOLDINGS
ALL RIGHTS RESERVED.

やはり一番重要なのは動機、興味だ。

「日本語の文字が多い理由、知ってる？」

それはドドトがファンの皆さんに愛を伝えやすくするためだよ。笑
ふざけるなって？本当だよ！

日本語の基本的な構造

「美味しい」と「美人」。

同じ「美」なのに、「美味しい」では「お」、「美人」では「び」と読む。

どういうことだ？

日本には元々「おいしい」という表現があった（文字はなかった）。

途中、仏教と共に漢字が入り、「아름다운 맛」という意味をもつ「美味」の文字ができた。

ここに元々使っていた「おいしい」という日本語に「美味」という漢字を使ったのだ。

でも「美人」は日本語を挟まず、漢字そのまま読むことになって「びじん」と読むのだ。

「美味しい」は元々存在していた日本語、「美人」は途中に入った漢字なのだ。

COPYRIGHT © 2024 TOTODO HOLDINGS
ALL RIGHTS RESERVED.

じゃ、「美味다」は「미미다」か「맛있다」か。

漢字・ひらがな・カタカナの違い

「멋있다」の書き方では大体三つがある。

漢字の「格好いい」・ひらがなの「かっこいい」・カタカナの「カッコイイ」だ。

漢字で書く場合は「丁寧な感じ」・「物知りの感じ」などがして、程が過ぎると「ロボットみたいな感じ」・「偉そうな感じ」などがする。

ひらがなで書く場合は「仲良い感じ」・「かわいい感じ」などがして、程が過ぎると「適当な感じ」・「無知な感じ」などがする。

カタカナで書く場合は「トレンディーな感じ」・「強調する感じ」などがして、程が過ぎると「文化的事大主義」・「大げさ」の感じがする。

だから同じ単語や文章を書いてもどんな文字を使うか適正に選ぶと、自分が望む感じをもっと生々しく伝えることができる。

ネガティヴな人は「文字が三個もあってウザい！」とか言っちゃうけど、俺らは「テキストでこんな感じまで生々しく表現できるのね！」だと思ってそれを利用する。

君はどっち だ？

- カッコいい・かっこういいなどもある。

COPYRIGHT (c) 2024 TOTODO HOLDINGS
ALL RIGHTS RESERVED.

「ドドト流、最強の単語章」

セルフテスト、暗記力、携帯性に容易なドドトの中で最強の単語章！

1. リーガルパッドを準備する。
2. 取って縦に折る。
3. 爪で抑える。
4. もう一回繰り返す。
5. 半分折っている状態で線の左側は単語、右側には発音、意味、漢字の名前、部首などを書く。
6. 適当に覚えられたらセルフテストを行う。
7. 間違ったのは単語の横にチェック、チェックされた単語でテストを繰り返す。
8. 左側に書いてある単語の情報たちが全部書けたら、これからは逆に情報を見て単語を書くテストを行う。
9. 左側と右側、全部覚えられたら完璧！

COPYRIGHT (c) 2024 TOTODO HOLDINGS
ALL RIGHTS RESERVED.

こうしなさい！

1. 目標は満点じゃなくて覚えること！適当に覚えたらすぐ受けて。その方が早い。
2. 復習はしない。効率悪い単語は自然に忘れられ、よく出る単語は覚えたくなくても覚えるようになる。でもその日のはチャンと覚えてから追わせること。

COPYRIGHT © 2024 TOTODO HOLDINGS.
ALL RIGHTS RESERVED.

「日本語の『カンジ』担当、漢字。」

韓国が試験英語最高、実戦英語最低な理由は

大抵の韓国人が勉強としての英語は得意だが、**実戦**の英語は苦手である。

そこには明らかな理由がある。


脳科学者が電極を接続して明らかにした結果によると、英語ネイティブが英語を読むとき、話すときに使われる声帯や筋肉が動く。

そして、話すときに活性化される脳の部位が活性化される。

話すのではなく、読むだけなのにだ。


英語は特定の音に意味を与えて意味を伝える言語である。

きちんとした英語の発音ができなければ、きちんとした意味伝達ができないということだ。

漢字は違う

しかし、漢文は違う。

漢字は音そのものでは意味が伝わらない。

イメージで意味が伝わる。

英語とは生まれつき違う。

何かの形を模して作り始めたからだ。

現代は漢字を知らない人が非常に多く、実質的な識字率が低い。

漢字を使うのにイメージが浮かばないからだ。

正確な意味伝達ができない。


「숙녀」の意味が何か知ってるか？

こういう風に漢字は違う。

したがって、漢字を覚えるときに、俺たちが学生時代にやっていた英語の単語を覚え方では、非常に非効率的である。

COPYRIGHT (c) 2024 TOTODO HOLDINGS
ALL RIGHTS RESERVED.

泳いで日本に行くこともできるが、飛行機で行く方が楽で早い。たまにものすごい水泳選手（上位 10%の暗記力の持ち主、俺が教えた名門大学生）がいて、飛行機より速く行くこともあるけど(笑)

漢字の覚え方

「簡単」の「簡」を検索してみよう！

1. オタ活・勉強中に知らない単語が出たら単語帳に追加する。
2. スマホにネイバー辞書を入れる。
3. 基本設定を日本語辞書にしておく。
4. 今は漢字単語の意味と発音を大体知ってるので、すぐ簡単に検索ができる。
5. どのような名前の漢字かを単語帳の右側に書く。ここで止まるとイメージ、つまり像を描くことができないので、必ず部首まで入る必要がある。
6. 漢字をクリックすると、一つの部首が見える。しかし、すべての部首が表示されないので、Naver 辞書の絵で検索する機能を利用する。

7. 例えば、「사이 간、間」の部首を検索する場合、「문 문、門」と「날 일、日」を分けて検索する。

8. 日本語辞書で部首を検索したときにない場合は、漢字辞典に行き、再度検索する。日本語辞書にはないが、漢字辞書にはある場合が多いからだ。見つかったら、再び日本語辞書に戻る。漢字の形や名前が違う場合が多いので、日本語辞書での検索が優先される。

9. 副詞をすべて見つけたら、単語帳の右側に書き、これらの副詞を活用して「間」の字を覚えるようにする。このとき、きちんとしたストーリーを知りたい場合は、漢字事件で「サイガン」を検索し、下へ下りていく。だいたい漢字が作られたストーリーが記載されている。この方法が複雑で難しければ、自分で作ってもよい。ドドト師範は、「日が昇っているうちに校門を通らないと怒られる！」などのストーリーで覚えよう。

『漢字単語一つ覚えるのにこんなに必要なの？』と思うかもしれないが、それは大間違い。この過程で漢字を俺の味方になるし、知らない漢字単語もどんな意味かすぐ分かるようになれるのだ。

COPYRIGHT © 2024 TOTODO HOLDINGS
ALL RIGHTS RESERVED.

この方法が漢字の構造と根本を利用した、最も効率的な方法である。
結局、像を浮かべられるか、浮かべられないかがかなめ！

俺が案内しているこの先の景色

全ての獲得方法は「原理＋実際状況」だ。
言語に適応したら「語源＋文脈」になる。

だから漢字の部首までちゃんと知っといて、それを自分が好きな日本旅行・アニメ・ドラマ・J-POPなどの視聴覚の情報の中で発見するといい。
そうなれたら勉強したことを忘れられなくなるし、日本語への愛情が深まっていく。
それは何物にも代えがたい最高の勉強と思い出なんだ。

あの景色の君を想像してみて！

COPYRIGHT © 2024 TOTODO HOLDINGS
ALL RIGHTS RESERVED.

「自分で解決できない人って、セクシーじゃない。」

オタ活や勉強をしてたら知らないことが絶対出てくる。

1. ネイバーに検索する。
2. それでも理解が足りないと、ググルに検索してみる。日本語や英語になっている情報がいっぱいある。

調べてみよう！

場所に関した助詞「に」、「で」、「へ」を検索して、この三つの違いを調べてみよう。

COPYRIGHT © 2024 TOTODO HOLDINGS
ALL RIGHTS RESERVED.

「根本がわからないと、一生空回りだ。」

根本的なイメージを考えろ

俺らの目標は翻訳家ではない。

ありのままの日本語を感じることに集中して、無意識的に韓国語で変換する癖を捨てよう。

「から」は韓国語でどんな意味を持ってるか？

「부터」・「으로부터」・「에서」・「니까」・「라서」・「기 때문에」など、様々な韓国語に化ける。

なぜか知らないままで覚えるばかりでは、日本人のように日本語をするのは不可能。

「から」の根本的なイメージは「出発点」なのだ。

「ソウルから釜山まで(서울에서 부산까지)」ではソウルが出発点だ。

「13時から15時まで(13시부터 15시까지)」では13時が出発点だ。

「韓国から来ました(한국에서 왔습니다)」では韓国が出発点だ。

「これ美味しいから飲んでみて(이거 맛있으니까 마셔봐)」では「美味しい」が「飲んでみて」って言わせた出発点だ。

「彼から電話が来た(그한테 전화가 왔다)」では「彼」が電話の出発点である。


한국「에서」だから「で」を使うのではない。

「에서」はあの空間で行動が起きた時に使う。

言ってる時点でもう日本に来てるので「で」ではなく、「から」がもっと正確なのだ。

「これ美味しいから食べて!」では「食べて!」って言った原因、つまり出発点が「美味しい」なのだ。

だから理由を言う時にも使う。


またもう一個考えてみよう。

日本は誰かに会う時に「を会う」ではなく、「に会う」という。

COPYRIGHT © 2024 TOTODO HOLDINGS
ALL RIGHTS RESERVED.

なぜだ？

「ドドトが先生？いや、違うな。」

いい先生とは？

「習う」というのは幻だ。

習うということは知識に触れられるのだけ。

「学ぶ」というのこそが獲得できる唯一な手段だ。

どれだけ習って勉強しても自分に関わっていないと獲得ができないんだ。

なので、「当然できる」ということを教えて、勇気を立たせて、生徒が自ら勉強できるように方向づけをしてあげる先生がいい先生なのだ。

最近、AIの発展速度が恐ろしくなれた理由

TESLAのOptimus zen2。本当に人みたいな判断をして、人みたいな動きができた。

台所に散らばっているものたちを元の場所に戻す。

COPYRIGHT © 2024 TOTODO HOLDINGS
ALL RIGHTS RESERVED.

力加減が少しでもズレると落としたり、割れたりする卵も指で運べた。

こんなことができたのは人が教えるのではなく、AIに自分から学ぶようにさせたからだ。

学習法、マインドの話が長い理由

なので何かを教えるより学習法についての話が長いのだ。

「直してやる。これが正しいんだ」

「僕は10年勉強したぞ」

「僕はこの大学で日本語専門だったよ」じゃない。

言語というのは誰にも習得できる簡単なものだ。

「カタコトって、俺がするとキュートなだけだね！」

日本語の発音を習うという本当の意味

日本語の発音で重要なことはこの五つ。

1. 음절
2. 강세
3. 리듬
4. 인토네이션
5. 악센트

＋ 발성

韓国人が日本語を勉強するときに重要なことはスペシャルモーラである「ん（撥音）」・「っ（促音）」・「ー（長音）」この三つだ。

他は必須ではなく、ただ「日本人っぽい日本語」をするためだから気楽に行こう。

COPYRIGHT © 2024 TOTODO HOLDINGS
ALL RIGHTS RESERVED.

/目指す発音/ vs [実際の発音]

韓国語には基本33個の文字があり、40~50個の音素がある。

- '비빔밥'の/ㅂ/ → [pibimpap̚]
- 'Butter'の/t/ → [t], [ɾ], [ʔ]
- 「ふぶき」の/ぶ/ → [b], [β]

これを「異音」という。

母国語にない音素は認識ができなくて言語を習得するのが大変になる。

だから音素を認識できるようにするのは大事だ。

アメリカ人は/ㅅ/と/ㅆ/、日本人はパッチムの/ㄴ/と/ㅁ/と/ㅇ/、韓国人は/っ/と/ん/と/ー/がわからない。

独学の障害物なのだ。

だが完璧にする必要はない。

/音声学/は目的地の家、[音韻論]はその家の扉たちだ。

どこの扉だろうが、その家の扉ならいいのだ。

なので間違いの発音はあっても、正解の発音はない。
ゆっくり話してみよう！

COPYRIGHT © 2024 TOTODO HOLDINGS
ALL RIGHTS RESERVED.

同時性

「こんにちは」を言うとこの五文字が一定な拍子だと思う。

実はそうではない。

微妙な拍子の差がある。

無意識の中にメトロノームがあって、これが言語のタイミングを分けるのだ。

だが、話す人はそれを同じほどの拍子だと思ってしまう。

これが同時性だ。

言語ごと時間を分ける方法が違う。

1. 音節拍リズムの言語（韓国語）
2. 強勢拍リズムの言語（英語）
3. モーラ拍リズムの言語（日本語）

このアイディアは 1945 年位 Kenneth L. Pike が提案したものだ。

1. 맥도날디에서 책을 읽어보자

→ 맥/도/날/디/에/서/책/을/읽/어/보/자

2. Let’ s read a book at McDonald’ s

→ Let’ s **read** a book at Mc**Donald’ s**

3. マックドナルドでほんをよんでみよう

→ マ/ッ/ク/ド/ナ/ル/ド/で/ほ/ん/を/よ/ん/で/み/よ/う

韓国人は楽勝！

韓国人はこの三つだけできれば日本語の音素の範囲に入ることができる！

- かんたん
- 「きてください。」 Vs 「きってください。」
- 「なまびるください！」 Vs 「なまびーるください！」

COPYRIGHT (c) 2024 TOTODO HOLDINGS
ALL RIGHTS RESERVED.

国際音声記号（THE IPA）

국제 음성 기호(2019년 수정본)

자음(폐에 의한 발동)

© 2019 IPA

	양순음	순치음	치음	치경음	후치경음	권설음	경구개음	연구개음	구개수음	인두음	성문음
폐쇄음	p b			t d		ʈ ɖ	c ɟ	k ɡ	q ɢ		ʔ
비음	m	ɱ		n		ɳ	ɲ	ŋ	ɴ		
전동음	ʙ			r					ʀ		
탄설음		ⱱ		ɾ		ɽ					
마찰음	ɸ β	f v	θ ð	s z	ʃ ʒ	ʂ ʐ	ç ʝ	x ɣ	χ ʁ	ħ ʕ	h ɦ
설측 마찰음				ɬ ɮ							
접근음		ʋ		ɹ		ɻ	j	ɰ			
설측 접근음				l		ɭ	ʎ	ʟ			

한 칸의 오른쪽 기호는 유성음, 왼쪽 기호는 무성음이다. 음영 표시 영역은 조음이 불가능하다고 판단됨을 의미한다.

자음(폐 이외의 발동)

흡착음	유성 내파음	방출음
ʘ 양순음	ɓ 양순음	ʼ 예:
ǀ 치음	ɗ 치음/치경음	pʼ 양순음
ǃ (후)치경음	ʄ 경구개음	tʼ 치음/치경음
ǂ 경구개치경음	ɠ 연구개음	kʼ 연구개음
ǁ 치경 설측음	ʛ 구개수음	sʼ 치경 마찰음

모음

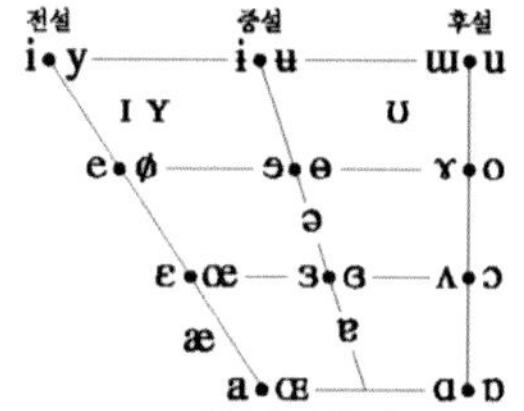

기호가 쌍으로 있는 경우 오른쪽 기호는 원순 모음을 나타낸다.

여타 기호

ʍ 양순연구개무성마찰음

w 양순연구개유성접근음

ɥ 양순경구개유성접근음

ʜ 후두개 무성마찰음

ʢ 후두개 유성마찰음

ʡ 후두개 폐쇄음

ɕ ʑ 치경경구개 마찰음

ɺ 치경 설측 유성 탄설음

ɧ ʃ 와 x 동시음

파찰음과 이중 조음은 필요한 경우 두 기호를 묶음 표시로 묶어서 나타낼 수 있다. t͜s k͡p

초분절음

ˈ 주강세

ˌ 부강세 ˌfoʊnəˈtɪʃən

ː 장음 eː

ˑ 반장음 eˑ

˘ 초단음 ĕ

| 부운율(음보)그룹

‖ 주운율(억양)그룹

. 음절 끊김 ɹi.ækt

‿ 연음(끊김 없음)

구별 기호

˳ 무성음	n̥ d̥	¨ 숨소리	b̤ a̤	̪ 치음	t̪ d̪
̬ 유성음	s̬ t̬	̰ 짜내기 소리	b̰ a̰	̺ 설첨성	t̺ d̺
ʰ 유기음	tʰ dʰ	̼ 설순음	t̼ d̼	̻ 설단성	t̻ d̻
̹ 원순성 강화	ɔ̹	ʷ 순음화	tʷ dʷ	̃ 비음화	ẽ
̜ 원순성 약화	ɔ̜	ʲ 경구개음화	tʲ dʲ	ⁿ 비음 개방	dⁿ
̟ 전방화	u̟	ˠ 연구개음화	tˠ dˠ	ˡ 설측 개방	dˡ
̠ 후방화	e̠	ˤ 인두음화	tˤ dˤ	̚ 개방음 없음	d̚
̈ 중설화	ë	̴ 연구개음화 혹은 인두음화	ɫ		
̽ 중중설화	e̽	̝ 상승	e̝ (ɹ̝ = 치경 유성 마찰음)		
̩ 성절적	n̩	̞ 하강	e̞ (β̞ = 양순 유성 접근음)		
̯ 비성절적	e̯	̘ 설근 전방화	e̘		
˞ r음화	ɚ a˞	̙ 설근 후방화	e̙		

일부 구별 기호는 하강 문자와 함께하는 경우 기호의 위에 놓일 수 있다 ŋ̊

성조 및 단어 악센트

평판조			굴곡조		
e̋ 혹은	˥	초고조	ě 혹은	˩˥	상승조
é	˦	고조	ê	˥˩	하강조
ē	˧	중조	e᷄	˦˥	고상승조
è	˨	저조	e᷅	˩˨	저상승조
ȅ	˩	초저조	e᷈	˧˦˧	상승하강조
ꜜ	단계 하강		↗	전반적 상승	
ꜛ	단계 상승		↘	전반적 하강	

서체: Doulos SIL, Source Han Serif (메타 텍스트), Doulos SIL, IPA Kiel, IPA LS Uni (기호)

ALL RIGHTS RESERVED.

三十個の日本語の音素

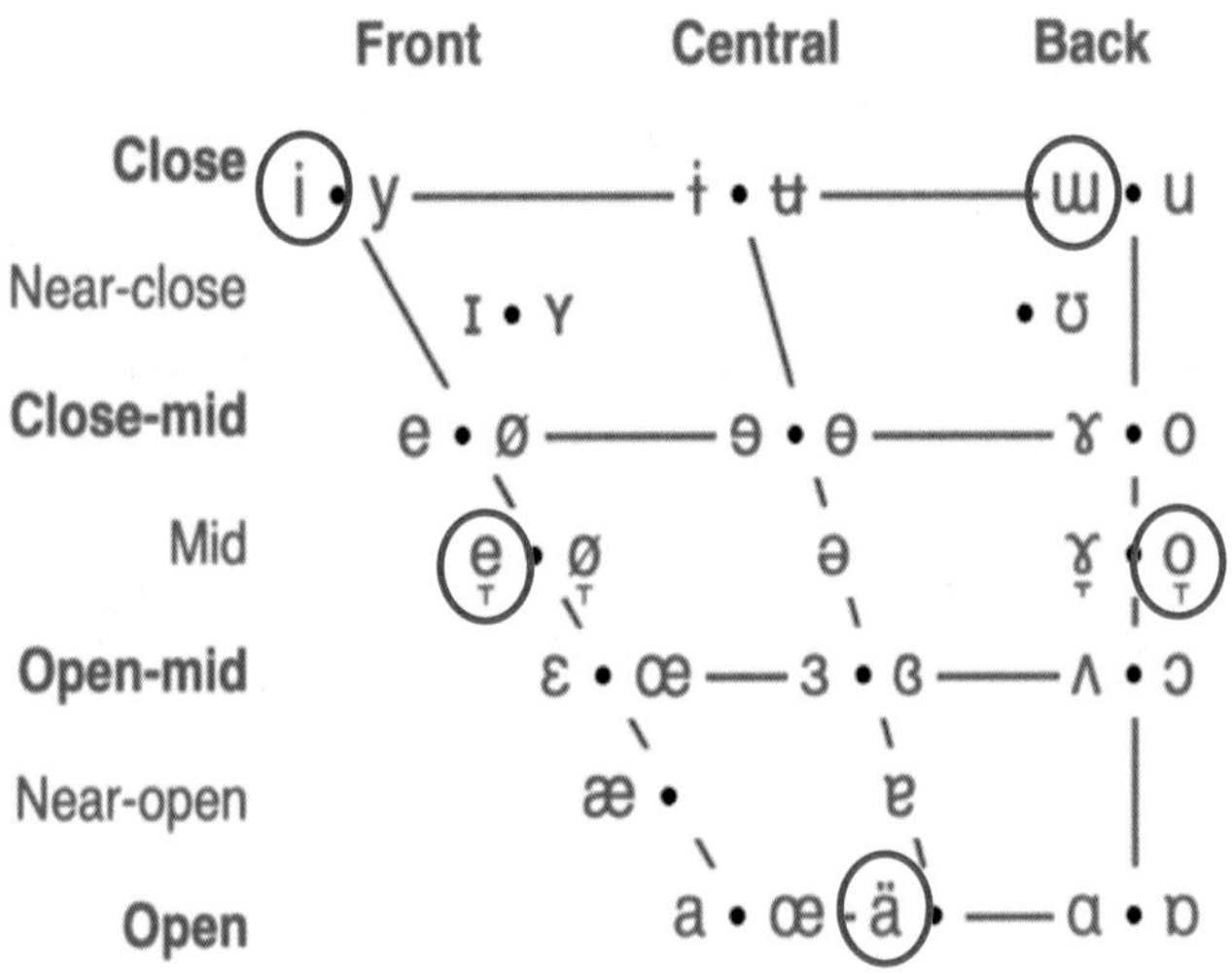

COPYRIGHT © 2024 TOTODO HOLDINGS
ALL RIGHTS RESERVED.

	양순음 (1)	치경음 (4)	치경구개음 (4, 7)	경구개음 (7)	연구개음 (8)	구개수음 (9)	성문음 (11)
비음	/m	/ n	/ ɲ		/ ŋ	/ ɴ	
파열음	p / b	t / d			k / g		
마찰음	ɸ /	s / z	ɕ / ʑ	ç /			h /
파찰음		ts/dz	tɕ/dʑ				
유음		ɾ					
반모음				/ j	/ɰ		

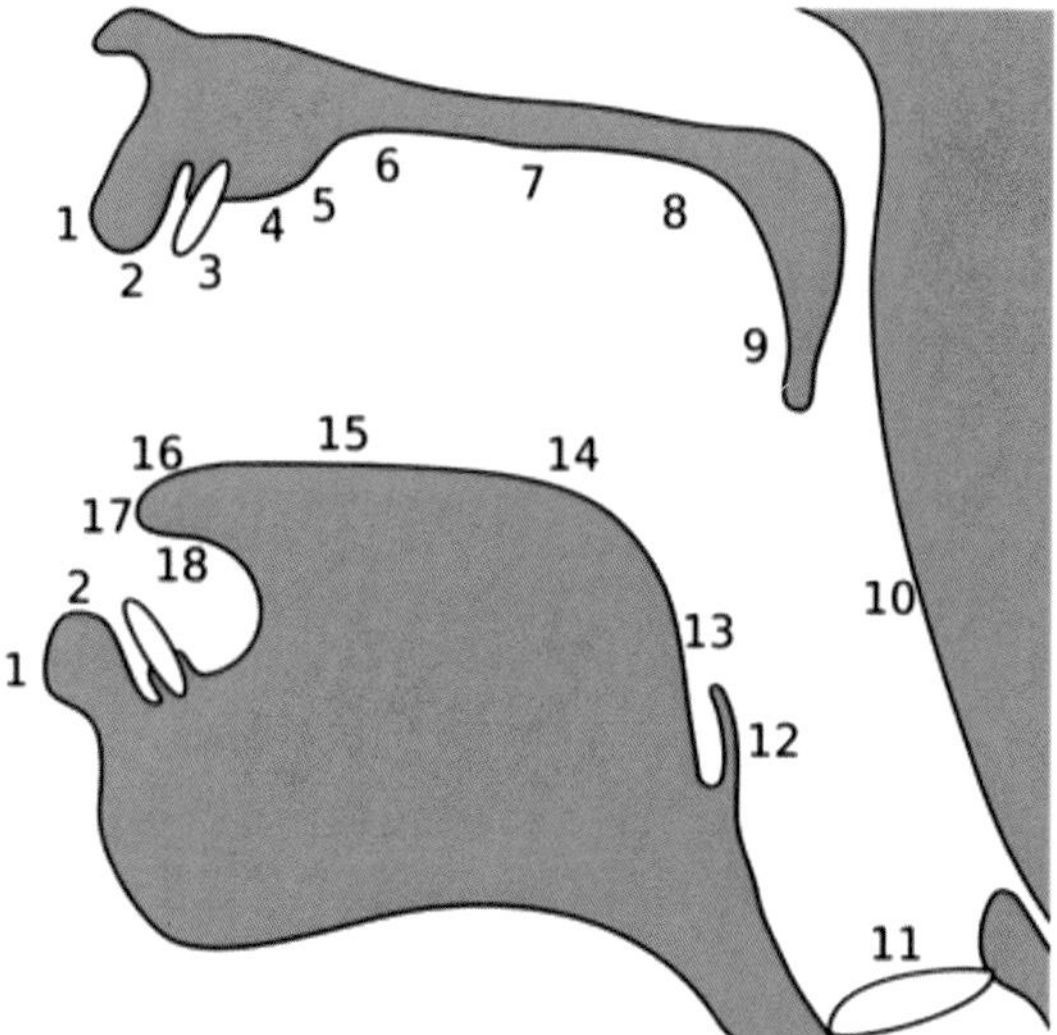

Created by User:ish shwar (orginal .png deleted), .svg by Rohieb – sagittal section image Based on Minifie et al. (1973©; articulation places are from Catford (1977) CC BY-SA 3.0

母音

IPA	설명	예시
ㅏ: [ɐ]	혀를 중간에 두고, 최대한 연 상태에서 아주 조금만 닫는다.	아메리카노[ɐme̞rikʰno]
あ: [ä]	혀를 중간에 두고, 최대한 연다.	アメリカーノ [äme̞rikäːno̞]
ㅣ,い: [i]	혀를 앞으로 보내고, 최대한 닫는다.	이론[iron] いろん[iro̞ɴ]
ㅜ: [u]	혀를 뒤로 보내고, 최대한 닫는다. 입술을 둥글게 만든다.	우주[udʑu]
う: [ɯ]	혀를 뒤로 보내고, 최대한 닫는다.	うちゅう[ɯtɕɯː]
ㅔ,え: [e̞]	혀를 앞으로 보내고, 중간만 연다.	에너지[e̞nʌdʑi] エネルギ[e̞ne̞rgʲi]
ㅗ: [o]	혀를 뒤로 보내고, 중간보다 아주 조금 더 닫는다. 입술을 둥글게 만든다.	오수[osu]
お: [o̞]	혀를 뒤로 보내고, 중간만 연다. 입술을 둥글게 만든다.	おす[o̞sɯ]

COPYRIGHT (c) 2024 TOTODO HOLDINGS
ALL RIGHTS RESERVED.

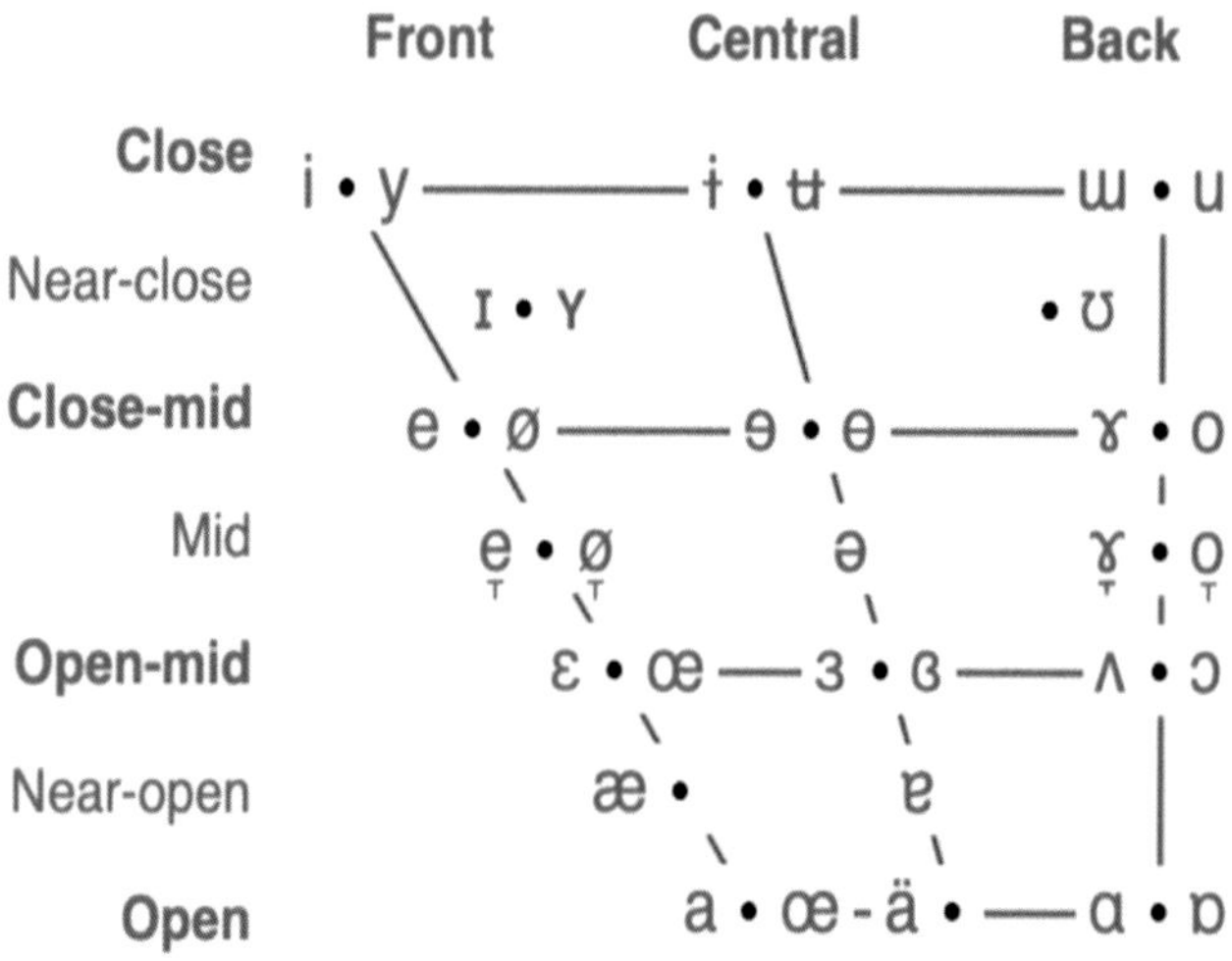
Front
Central
Back
Close
Near-close
Close-mid
Mid
Open-mid
Near-open
Open
i • y
ɨ • ʉ
ɯ • u
ɪ • ʏ
• ʊ
e • ø
ɘ • ɵ
ɤ • o
e̞ • ø̞
ə
ɤ̞ • o̞
ɛ • œ
ɜ • ɞ
ʌ • ɔ
æ •
ɐ
a • ɶ - ä •
ɑ • ɒ

俺の日本語

子音 (か・が行)

IPA	설명	성대 떨림	예시
카: [kʰɐ] 가: [kɐ]	8 번에 혀를 대고, 파열음을 낸다. ('카'는 숨이 나간다(ʰ).)	무성음 무성음	카레[kʰerẹ] 가이드[kɐidɯ]
か: [kä] が: [gä]	8 번에 혀를 대고, 파열음을 낸다. ('か'는 중간이나 뒤에 올 때 [k̬ä]까지도 발음 가능.)	무성음 유성음	かれ[käre] ガイド[gäidọ]
き: [kʲi] ぎ: [gʲi]	8 번에 혀를 대고, 파열음을 낸다. ('き'는 중간이나 뒤에 올 때 [k̬i]까지도 발음 가능.)	무성음 유성음	きらい[kiräi] ぎんこう [giŋkọː]
く: [kɯ] ぐ: [gɯ]	8 번에 혀를 대고, 파열음을 낸다. ('く'는 중간이나 뒤에 올 때 [k̬ɯ̟ᵝ]까지도 발음 가능.)	무성음 유성음	くま[kɯmä] ぐるぐる [gɯrɯgɯrɯ]
け: [kẹ] げ: [gẹ]	8 번에 혀를 대고, 파열음을 낸다. ('け'는 중간이나 뒤에 올 때 [k̬ẹ]까지도 발음 가능.)	무성음 유성음	けしょう[kẹɕọː] ゲロ[gerọ]
こ: [kọ] ご: [gọ]	8 번에 혀를 대고, 파열음을 낸다. ('こ'는 중간이나 뒤에 올 때 [k̬ọ]까지도 발음 가능.)	무성음 유성음	こども[kọdọmọ] ごはん[gọhaɴ]

COPYRIGHT (c) 2024 TOTODO HOLDINGS
ALL RIGHTS RESERVED.

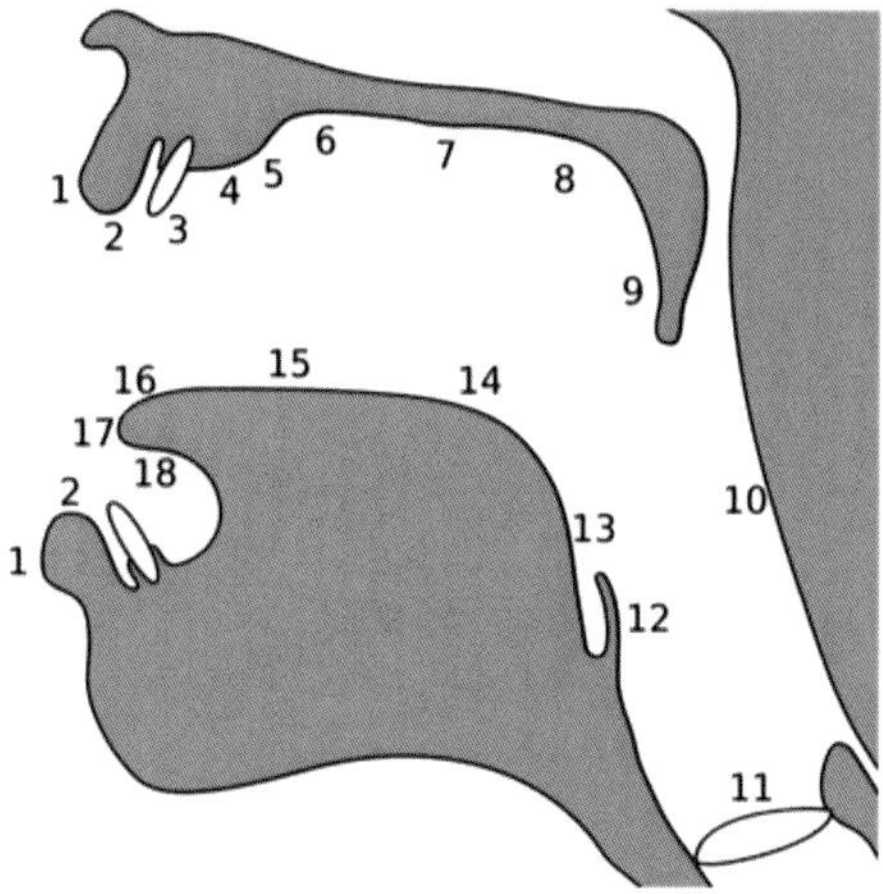

Created by User:ish shwar (orginal .png deleted), .svg by Rohieb – sagittal section image
Based on Minifie et al. (1973☺; articulation places are from Catford (1977) CC BY-SA 3.0

	양순음 (1)	치경음 (4)	치경구개음 (4, 7)	경구개음 (7)	연구개음 (8)	구개수음 (9)	성문음 (11)
비음	/m	/ n	/ ɲ		/ ŋ	/ ɴ	
파열음	p / b	t / d			k / g		
마찰음	ɸ /	s / z	ɕ / ʑ	ç /			h /
파찰음		ts/dz	tɕ/dʑ				
유음		ɾ					
반모음				/ j	/ɰ		

子音 (さ・ざ行)

IPA	설명	성대 떨림	예시
사: [sɐ] 자: [tɕɐ]	4 번에 혀를 대고, 마찰음을 낸다. 4, 7 번에 혀를 대고, 파찰음을 낸다.	무성음 무성음	사기[sɐgi] 잔업[tɕɐnʌp]
さ: [sä] ざ: [zä]	4 번에 혀를 대고, 마찰음을 낸다.	무성음 유성음	さぎ[sägi] ざんぎょう [zäɴgjo̞ː]
し: [ɕi] じ: [ʑi]	4, 7 번에 혀를 대고, 마찰음을 낸다.	무성음 유성음	しばる[ɕibärɯ] じらい[dʑiräi]
す: [sɯ] ず: [zɯ]	4 번에 혀를 대고, 마찰음을 낸다.	무성음 유성음	すき[sɯki] ずっと[zɯtːo̞]
せ: [se̞] ぜ: [ze]	4 번에 혀를 대고, 마찰음을 낸다.	무성음 유성음	せんせい [seɴseː] ぜいきん [zeːkiɴ]
そ: [so̞] ぞ: [zo̞]	4 번에 혀를 대고, 마찰음을 낸다.	무성음 유성음	そうか[so̞ːka] ぞうか[zo̞ːka]

COPYRIGHT © 2024 TOTODO HOLDINGS
ALL RIGHTS RESERVED.

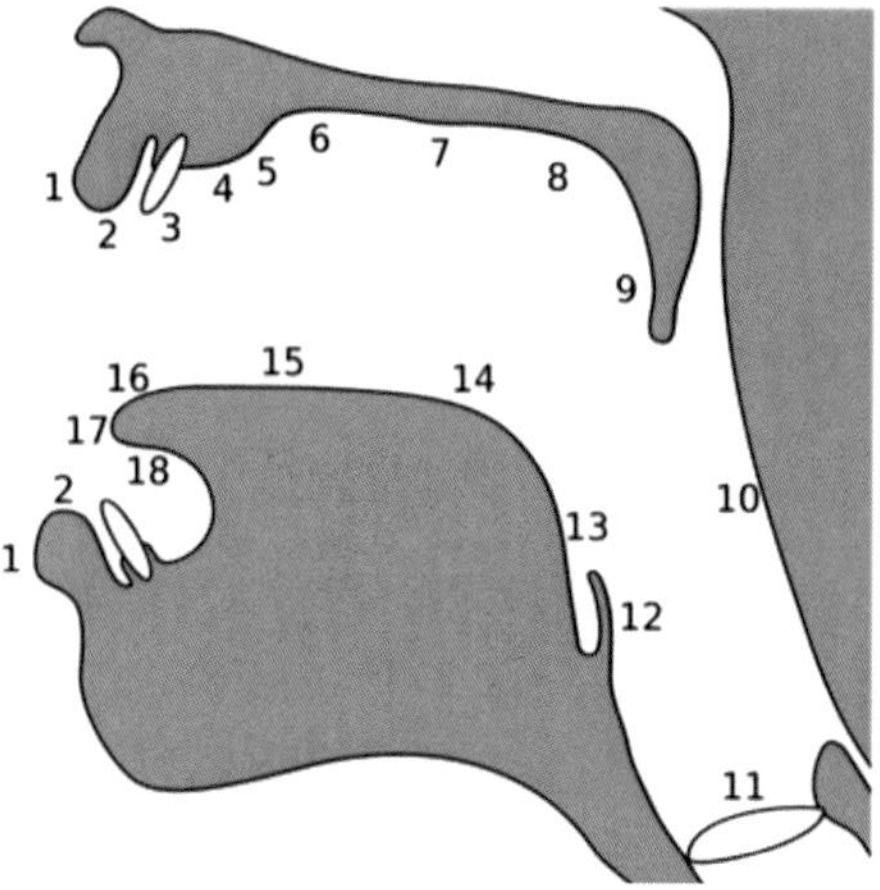

Created by User:ish shwar (orginal .png deleted), .svg by Rohieb – sagittal section image
Based on Minifie et al. (1973☺; articulation places are from Catford (1977) CC BY-SA 3.0

	양순음 (1)	치경음 (4)	치경구개음 (4, 7)	경구개음 (7)	연구개음 (8)	구개수음 (9)	성문음 (11)
비음	/m	/ n	/ ɲ		/ ŋ	/ ɴ	
파열음	p / b	t / d			k / g		
마찰음	ɸ /	s / z	ɕ / ʑ	ç /			h /
파찰음		ts/dz	tɕ/dʑ				
유음		ɾ					
반모음				/ j	/ɰ		

子音 (た行)

IPA	설명	성대 떨림	예시
타: [tʰɐ] 다: [tɐ]	4 번에 혀를 대고, 파열음을 낸다. ('타'는 숨이 나간다(ʰ).)	무성음 무성음	타다[tʰɐdɐ] 다시[tɐɕi]
た: [tä] だ: [dä]	4 번에 혀를 대고, 파열음을 낸다. 숨이 나가지 않는다. ('た'는 중간이나 뒤에 올 때 [t̬ä]까지도 발음 가능.)	무성음 유성음	ただ[tädä] だし[däɕi]
ち: [tɕi] ぢ: [dʑi]	4,7 번에 혀를 대고, 파열음을 낸다. 숨이 나가지 않는다. ('ち'는 중간이나 뒤에 올 때 [d̬ʑi]까지도 발음 가능.)	무성음 유성음	ちいかわ [tɕiikäɰä] チヂミ[tɕidʑimi]
つ: [tsɯ] づ: [dzɯ]	4 번에 혀를 대고, 파열음을 낸다. 숨이 나가지 않는다. ('つ'는 중간이나 뒤에 올 때 [d̬zɯ]까지도 발음 가능.)	무성음 유성음	つめ[tsɯme̞] つづく [tsɯdzɯkɯ]
て: [te] で: [de]	4 번에 혀를 대고, 파열음을 낸다. 숨이 나가지 않는다. ('て'는 중간이나 뒤에 올 때 [t̬e]까지도 발음 가능)	무성음 유성음	てのひら [te̞no̞çirä] でかい[dekäi]
と: [to̞] ど: [do̞]	4 번에 혀를 대고, 파열음을 낸다. 숨이 나가지 않는다. ('と'는 중간이나 뒤에 올 때 [t̬o̞]까지도 발음 가능.)	무성음 유성음	トトロ[to̞to̞ro̞] どんぐり [do̞ŋgɯri]

COPYRIGHT (c) 2024 TOTODO HOLDINGS
ALL RIGHTS RESERVED.

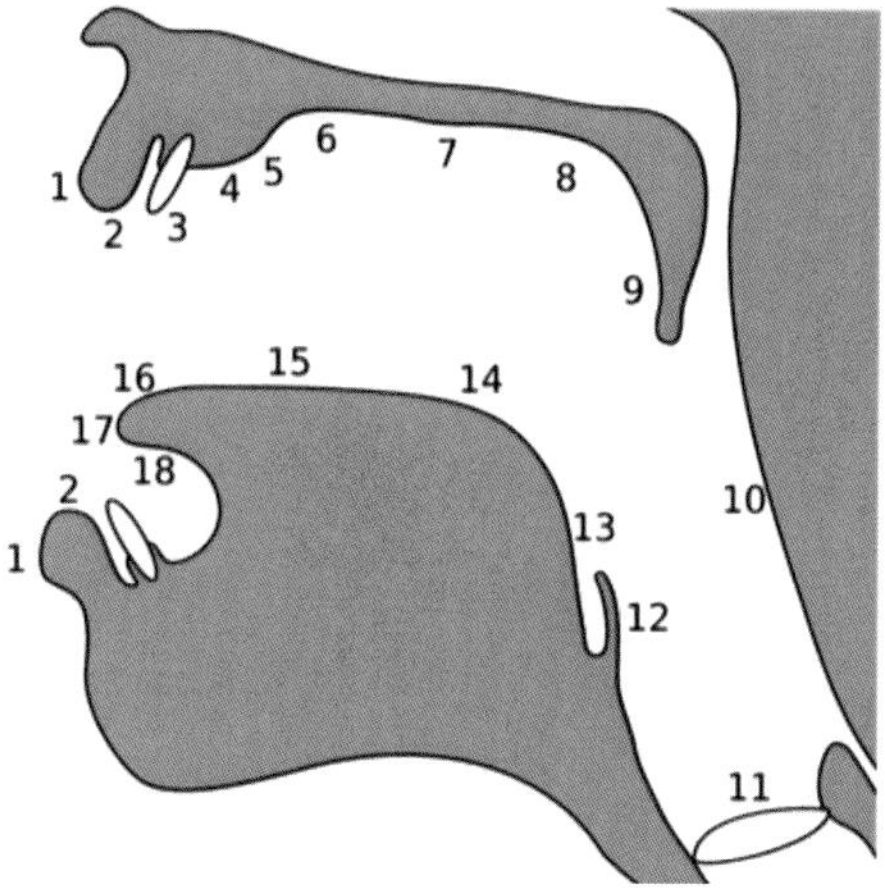

Created by User:ish shwar (orginal .png deleted), .svg by Rohieb – sagittal section image
Based on Minifie et al. (1973☺; articulation places are from Catford (1977) CC BY-SA 3.0

	양순음 (1)	치경음 (4)	치경구개음 (4, 7)	경구개음 (7)	연구개음 (8)	구개수음 (9)	성문음 (11)
비음	/m	/ n	/ ɲ		/ ŋ	/ ɴ	
파열음	p / b	t / d			k / g		
마찰음	ɸ /	s / z	ɕ / ʑ	ç /			h /
파찰음		ts/dz	tɕ/dʑ				
유음		ɾ					
반모음				/ j	/ɰ		

子音 (な行)

IPA	설명	성대 떨림	예시
나: [nɐ]	4 번에 혀를 대고, 비음을 낸다.	유성음	나이[nɐi]
な: [nä]	4 번에 혀를 대고, 비음을 낸다.	유성음	ない[näi]
に: [ɲi]	4,7 번에 혀를 대고 비음을 낸다.	유성음	におう[ɲio̞ɯ]
ぬ: [nɯ]	4 번에 혀를 대고, 비음을 낸다.	유성음	ぬぐ[nɯgɯ]
ね: [ne]	4 번에 혀를 대고, 비음을 낸다.	유성음	ねそべる [ne̞so̞be̞ɾɯ]
の: [no̞]	4 번에 혀를 대고, 비음을 낸다.	유성음	のんびり [no̞ɴbiɾi]

子音 (は行)

IPA	설명	성대 떨림	예시
하: [hɐ]	11 번에 혀를 대고, 성문음을 낸다.	무성음	하렘[hɐɾe̞m]
は: [hä]	11 번에 혀를 대고, 성문음을 낸다.	무성음	ハレム [häremɯ]
ひ: [çi]	7 번에 혀를 대고, 마찰음을 낸다.	무성음	ひじ[çizi]
ふ: [ɸɯ]	1 번에서 마찰음을 낸다.	무성음	ふゆ[ɸɯjɯ]
へ: [he]	11 번에 혀를 대고, 성문음을 낸다.	무성음	へそ[he̞so̞]
ほ: [ho̞]	11 번에 혀를 대고, 성문음을 낸다.	무성음	ほお[ho̞ː]

COPYRIGHT © 2024 TOTODO HOLDINGS
ALL RIGHTS RESERVED

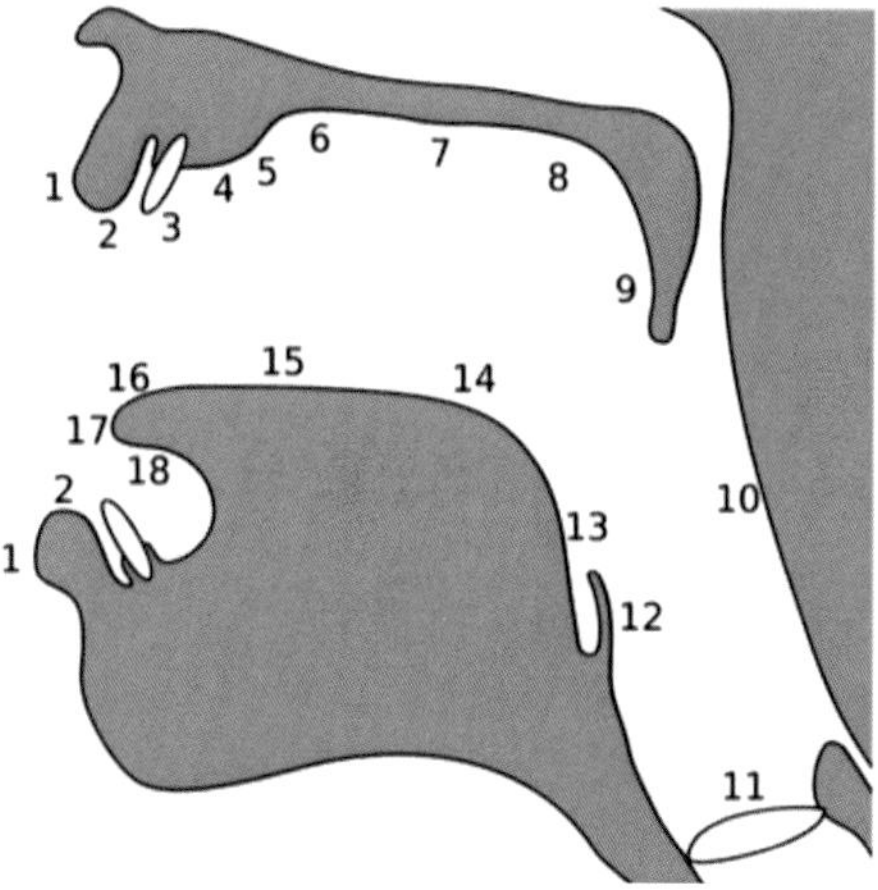

Created by User:ish shwar (orginal .png deleted), .svg by Rohieb – sagittal section image Based on Minifie et al. (1973☺; articulation places are from Catford (1977) CC BY-SA 3.0

	양순음 (1)	치경음 (4)	치경구개음 (4, 7)	경구개음 (7)	연구개음 (8)	구개수음 (9)	성문음 (11)
비음	/m	/ n	/ ɲ		/ ŋ	/ ɴ	
파열음	p / b	t / d			k / g		
마찰음	ɸ /	s / z	ɕ / ʑ	ç /			h /
파찰음		ts/dz	tɕ/dʑ				
유음		ɾ					
반모음				/ j	/ɰ		

俺の日本語

子音 (ば・ぱ行)

IPA	설명	성대 떨림	예시
바: [pɐ] **파: [p^{h}ɐ]**	1 번에서 파열음을 낸다. ('파'는 숨이 나간다(^{h}).)	무성음	바이크[peik^{h}ɯ] 파티[p^{h}et^{h}i]
ば: [bä] **ぱ: [pä]**	1 번에서 파열음을 낸다.	유성음 무성음	バイク[bäikɯ] パーティー [pä:ti:]
び: [b^{j}i] **ぴ: [p^{j}i]**	1 번에서 파열음을 낸다. 7 번에 혀가 닿는다(^{j}).	유성음 무성음	びじん[bidʑiɴ] ピーチ[pi:tɕi]
ぶ: [bɯ] **ぷ: [pɯ]**	1 번에서 파열음을 낸다.	유성음 무성음	ぶた[bɯtä] ぷにぷに [pɯɲipɯɲi]
べ: [be] **ぺ: [pe]**	1 번에서 파열음을 낸다.	유성음 무성음	べたべた [be̞täbe̞tä] ぺたぺた [petapeta]
ぼ: [bo̞] **ぽ: [po̞]**	1 번에서 파열음을 낸다.	유성음 무성음	ぼっち[bo̞tɕ:i] ぽっちゃり [po̞tɕ:äri]

COPYRIGHT © 2024 TOTODO HOLDINGS
ALL RIGHTS RESERVED

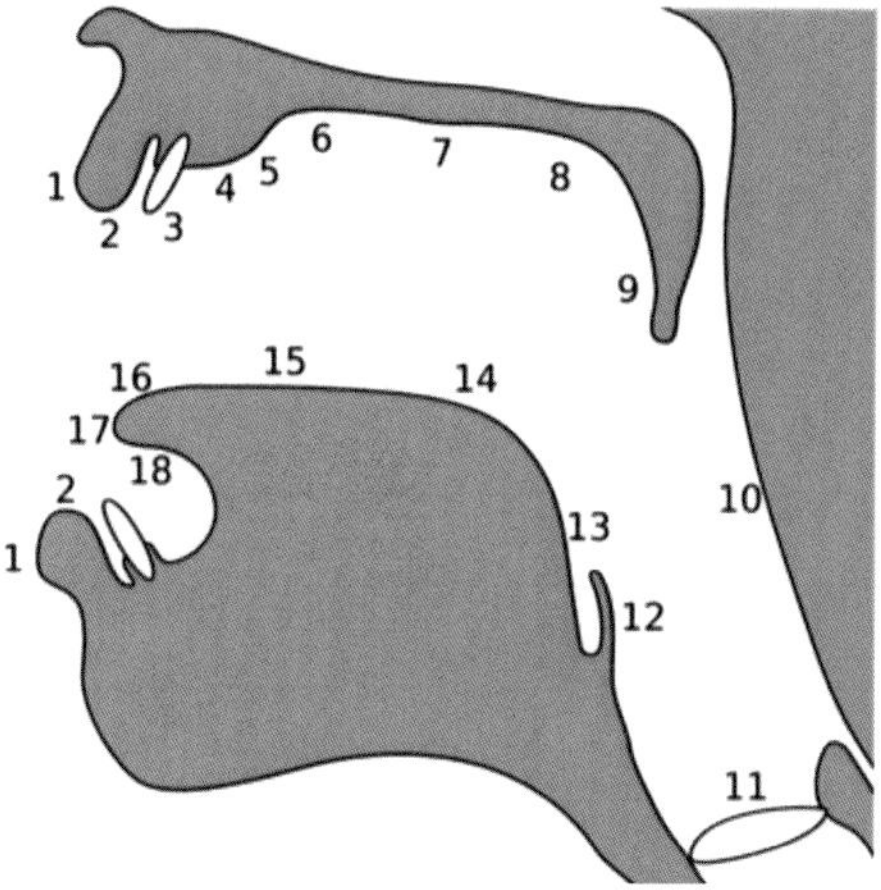

Created by User:ish shwar (orginal .png deleted), .svg by Rohieb – sagittal section image
Based on Minifie et al. (1973☺; articulation places are from Catford (1977) CC BY-SA 3.0

	양순음 (1)	치경음 (4)	치경구개음 (4, 7)	경구개음 (7)	연구개음 (8)	구개수음 (9)	성문음 (11)
비음	/m	/ n	/ ɲ		/ ŋ	/ ɴ	
파열음	p / b	t / d			k / g		
마찰음	ɸ /	s / z	ɕ / ʑ	ç /			h /
파찰음		ts/dz	tɕ/dʑ				
유음		ɾ					
반모음				/ j	/ɰ		

子音 (ま行)

IPA	설명	성대 떨림	예시
마: [mɐ]	1 번에서 비음을 낸다.	유성음	마루[mɐru]
ま: [mä]	1 번에서 비음을 낸다.	유성음	まる[märɯ]
み: [mʲi]	1 번에서 비음을 낸다. 7 번에 혀가 닿는다(ʲ).	유성음	みらい[mʲiräi]
む: [mɯ]	1 번에서 비음을 낸다.	유성음	むし[mɯɕi]
め: [me]	1 번에서 비음을 낸다.	유성음	メガネ [me̞gäne̞]
も: [mo̞]	1 번에서 비음을 낸다.	유성음	もも[mo̞mo̞]

子音 (ら行)

IPA	설명	성대 떨림	예시
라: [lɐ]	4 번에 혀를 대고, 설측접근음을 낸다.	무성음	라면 [lɐmjʌn]
ら: [ɾä]	4 번에 혀를 대고, 탄음을 낸다.	무성음	ラーメン [ɾä:me̞ɴ]
り: [ɾʲi]	4, 7 번에 혀를 대고(ʲ), 탄음을 낸다.	무성음	りせい[ɾise̞:]
る: [ɾɯ]	4 번에 혀를 대고, 탄음을 낸다.	무성음	るすばん [ɾɯsɯbäɴ]
れ: [ɾe]	4 번에 혀를 대고, 탄음을 낸다.	무성음	れんあい[ɾe̞ɴäi]
ろ: [ɾo̞]	4 번에 혀를 대고, 탄음을 낸다.	무성음	ろうか[ɾo:kä]

COPYRIGHT (c) 2024 TOTODO HOLDINGS
ALL RIGHTS RESERVED.

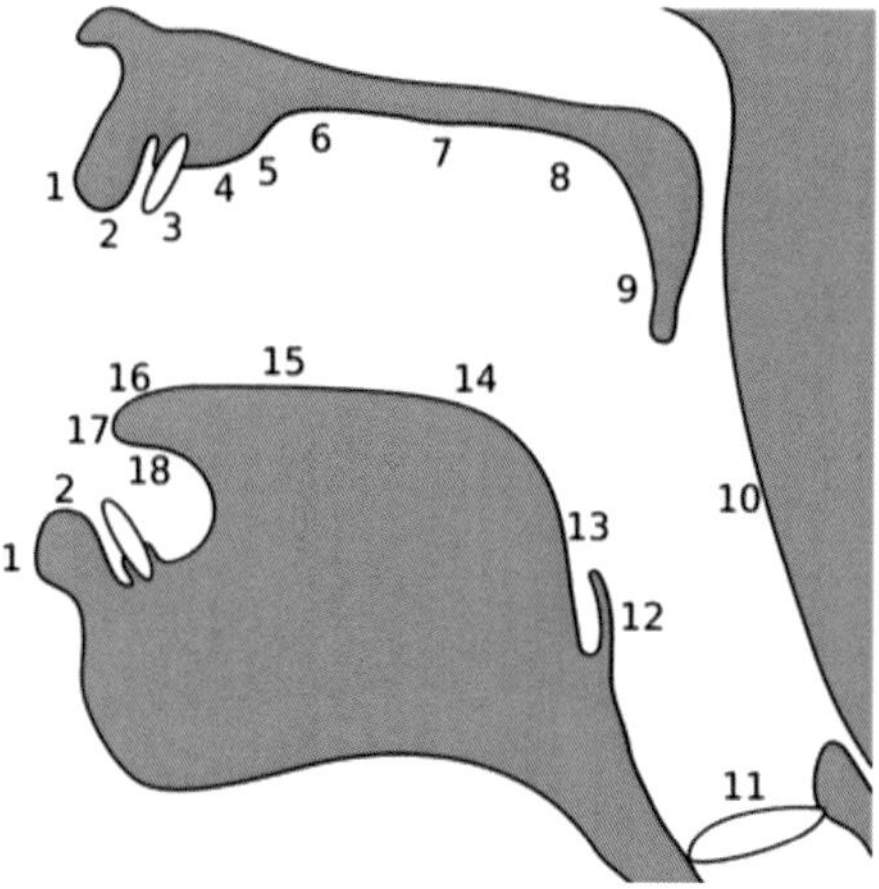

Created by User:ish shwar (orginal .png deleted), .svg by Rohieb – sagittal section image
Based on Minifie et al. (1973☺; articulation places are from Catford (1977) CC BY-SA 3.0

	양순음 (1)	치경음 (4)	치경구개음 (4, 7)	경구개음 (7)	연구개음 (8)	구개수음 (9)	성문음 (11)
비음	/m	/ n	/ ɲ		/ ŋ	/ ɴ	
파열음	p / b	t / d			k / g		
마찰음	ɸ /	s / z	ɕ / ʑ	ç /			h /
파찰음		ts/dz	tɕ/dʑ				
유음		ɾ					
반모음				/ j	/ɰ		

子音 (わ行)

IPA	설명	성대 떨림	예시
와: [wɐ]	1 번에서 접근음을 낸다. 8 번에 혀가 닿는다.	유성음	와인[wɐin]
わ: [ɰä]	8 번에 혀를 대고, 접근음을 낸다.	유성음	ワイン[ɰᵝäiɴ]
を: [o̞]	'お'와 같은 소리를 낸다.		しゅくふくを [ɕɯkɯɸɯkɯo̞]

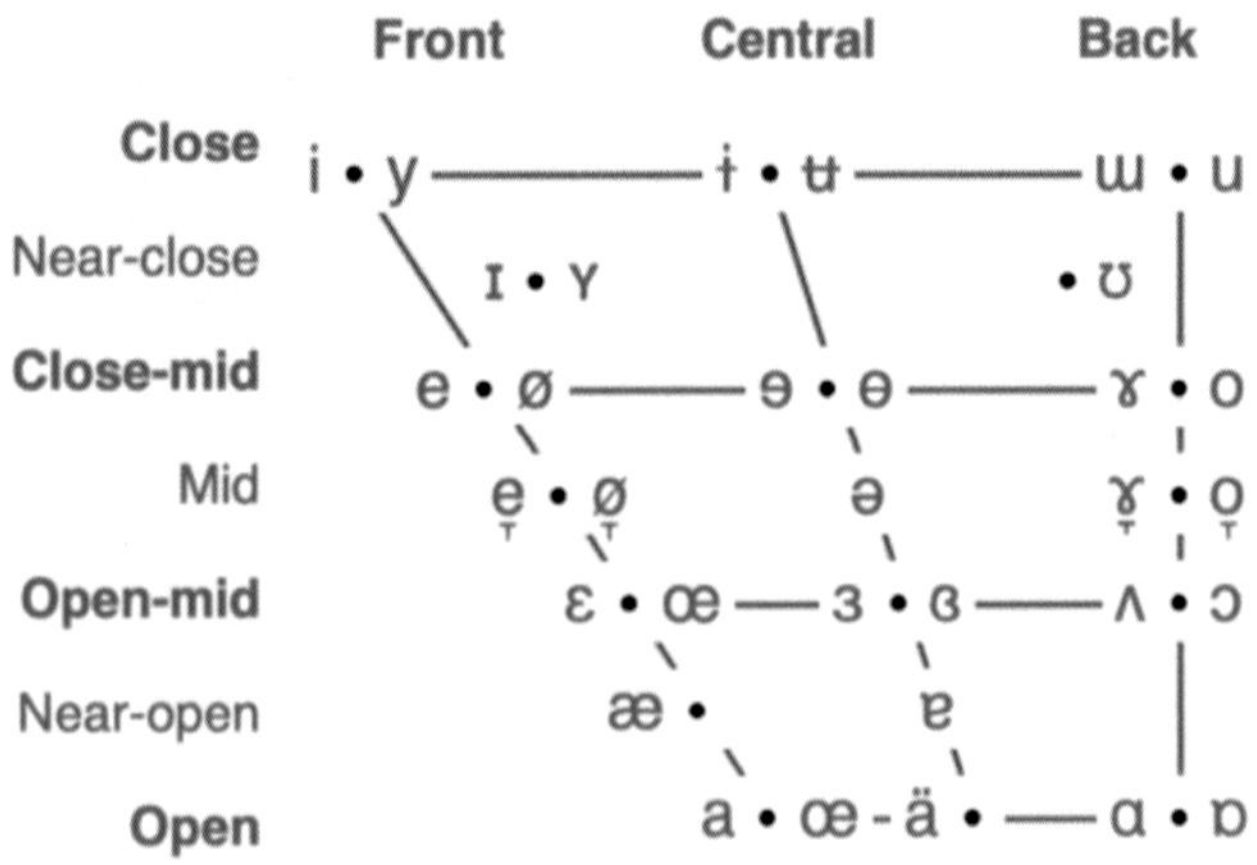

COPYRIGHT © 2024 TOTODO HOLDINGS
ALL RIGHTS RESERVED

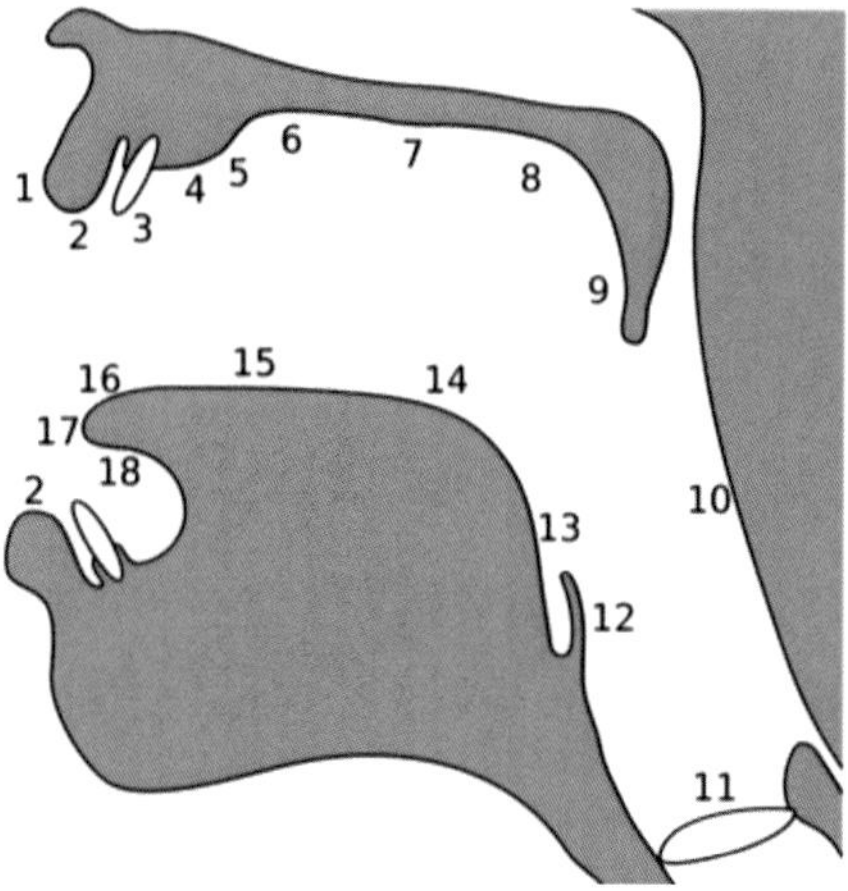

Created by User:ish shwar (orginal .png deleted), .svg by Rohieb – sagittal section image
Based on Minifie et al. (1973☺; articulation places are from Catford (1977) CC BY-SA 3.0

	양순음 (1)	치경음 (4)	치경구개음 (4, 7)	경구개음 (7)	연구개음 (8)	구개수음 (9)	성문음 (11)
비음	/m	/ n	/ ɲ		/ ŋ	/ ɴ	
파열음	p / b	t / d			k / g		
마찰음	ɸ /	s / z	ɕ / ʑ	ç /			h /
파찰음		ts/dz	tɕ/dʑ				
유음		ɾ					
반모음				/ j	/ɰ		

子音 (や行)

IPA	설명	성대 떨림	예시
야: [jɐ]	7 번에 혀를 대고, 접근음을 낸다.	유성음	야구[jɐgu]
や: [jä]	7 번에 혀를 대고, 접근음을 낸다.	유성음	やきゅう [jäkjɯː]
きゃ: [kʲä]	7 번에 혀를 대고(i), 파열음을 낸다.	무성음	キャリア [kjäriä]
ぎゃ: [gʲä]	7 번에 혀를 대고(i), 파열음을 낸다.	유성음	ギャル [gjärɯ]
しゃ: [ɕä]	4, 7 번에 혀를 대고, 마찰음을 낸다.	무성음	しゃしん [ɕäɕiɴ]
じゃ: [ʑä]	4, 7 번에 혀를 대고, 마찰음을 낸다.	유성음	じゃま [ʑämä]
ちゃ: [tɕä]	4, 7 번에 혀를 대고, 파찰음을 낸다.	무성음	ちゃいろ [tɕäiro̞]
ぢゃ: [dʑä]	4, 7 번에 혀를 대고, 파찰음을 낸다.	유성음	
にゃ: [ɲä]	4, 7 번에 혀를 대고, 비음을 낸다.	유성음	ニャー[ɲäː]
ひゃ: [çä]	7 번에 혀를 대고, 마찰음을 낸다.	무성음	ひゃく [çjäkɯ]
びゃ: [bʲä]	1 번에서 파열음을 낸다. 7 번에 혀가 닿는다(i).	유성음	びゃくや [bʲäkɯjä]
ぴゃ: [pʲä]	1 번에서 파열음을 낸다. 7 번에 혀가 닿는다(i).	무성음	ろっぴゃく [ro̞pʲːäjäkɯ]
みゃ: [mʲä]	1 번에서 비음을 낸다. 7 번에 혀가 닿는다(i).	유성음	みゃく [mʲäkɯ]
りゃ: [ɾʲä]	4 번에 혀를 대고, 탄음을 낸다. 7 번에 혀가 닿는다(i).	유성음	りゃくご [ɾʲäkɯgo̞]

COPYRIGHT ⓒ 2024 TOTODO HOLDINGS
ALL RIGHTS RESERVED.

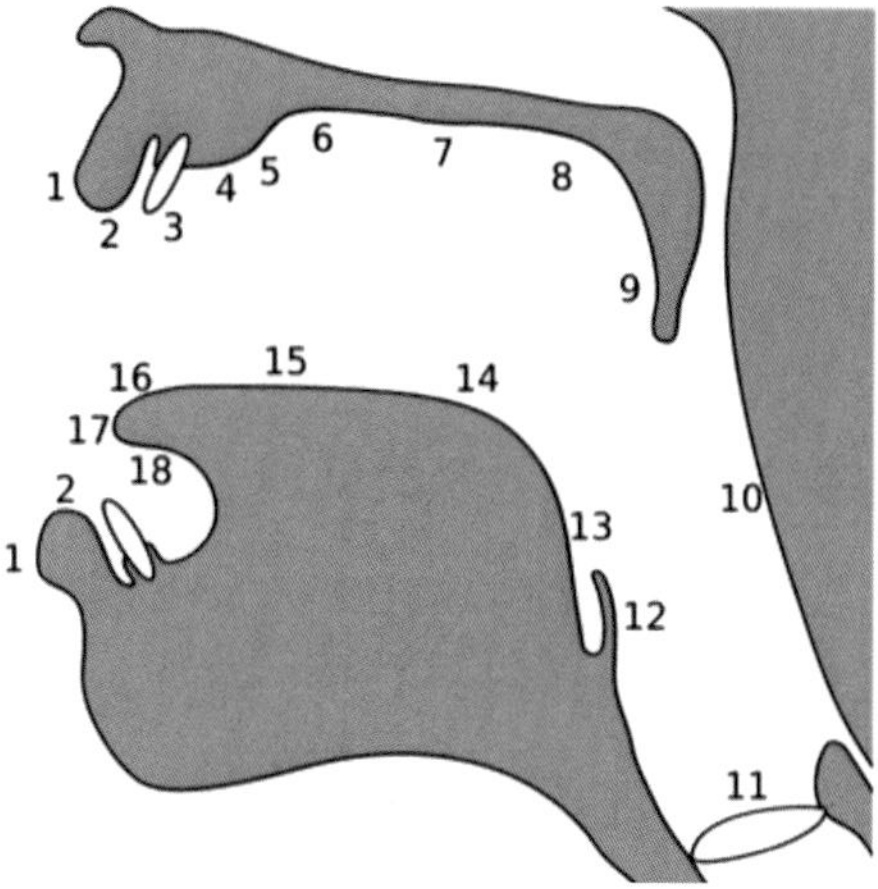

Created by User:ish shwar (orginal .png deleted), .svg by Rohieb – sagittal section image
Based on Minifie et al. (1973☺; articulation places are from Catford (1977) CC BY-SA 3.0

	양순음 (1)	치경음 (4)	치경구개음 (4, 7)	경구개음 (7)	연구개음 (8)	구개수음 (9)	성문음 (11)
비음	/m	/ n	/ ɲ		/ ŋ	/ ɴ	
파열음	p / b	t / d			k / g		
마찰음	ɸ /	s / z	ɕ / ʑ	ç /			h /
파찰음		ts/dz	tɕ/dʑ				
유음		ɾ					
반모음				/ j	/ɰ		

子音 (ゅ行)

IPA	설명	성대 떨림	예시
유: [ju]	7 번에 혀를 대고, 접근음을 낸다.	유성음	유리[juri]
ゆ: [jɯ]	7 번에 혀를 대고, 접근음을 낸다.	유성음	ゆり[jɯri]
きゅ: [kʲɯ]	7 번에 혀를 대고(i), 파열음을 낸다.	무성음	キュート[kjɯ:to̞]
ぎゅ: [gʲɯ]	7 번에 혀를 대고(i), 파열음을 낸다.	유성음	ぎゅっと[gjɯt:o̞]
しゅ: [ɕɯ]	4, 7 번에 혀를 대고, 마찰음을 낸다.	무성음	しゅじん[ɕɯdʑiɴ]
じゅ: [ʑɯ]	4, 7 번에 혀를 대고, 마찰음을 낸다.	유성음	じゅうでん [dʑɯɯde̞ɴ]
ちゅ: [tɕɯ]	4, 7 번에 혀를 대고, 파찰음을 낸다.	무성음	ちゅうもん [tɕɯɯmo̞ɴ]
ぢゅ: [dʑɯ]	4, 7 번에 혀를 대고, 파찰음을 낸다.	유성음	
にゅ: [ɲɯ]	4, 7 번에 혀를 대고, 비음을 낸다.	유성음	にゅうこく [njɯɯko̞kɯ]
ひゅ: [çɯ]	7 번에 혀를 대고, 마찰음을 낸다.	무성음	ヒューマン [çjɯ:mäɴ]
びゅ: [bʲɯ]	1 번에서 파열음을 낸다. 7 번에 혀가 닿는다(i).	유성음	ビューティー [bjɯ:ti:]
ぴゅ: [pʲɯ]	1 번에서 파열음을 낸다. 7 번에 혀가 닿는다(i).	무성음	ピュア[pjɯä]
みゅ: [mʲɯ]	1 번에서 비음을 낸다. 7 번에 혀가 닿는다(i).	유성음	ミュージック [mjɯ:dʑik:ɯ]
りゅ: [ɾʲɯ]	4 번에 혀를 대고, 탄음을 낸다. 7 번에 혀가 닿는다(i).	유성음	リュック[ɾjɯk:ɯ]

COPYRIGHT © 2024 TOTODO HOLDINGS
ALL RIGHTS RESERVED

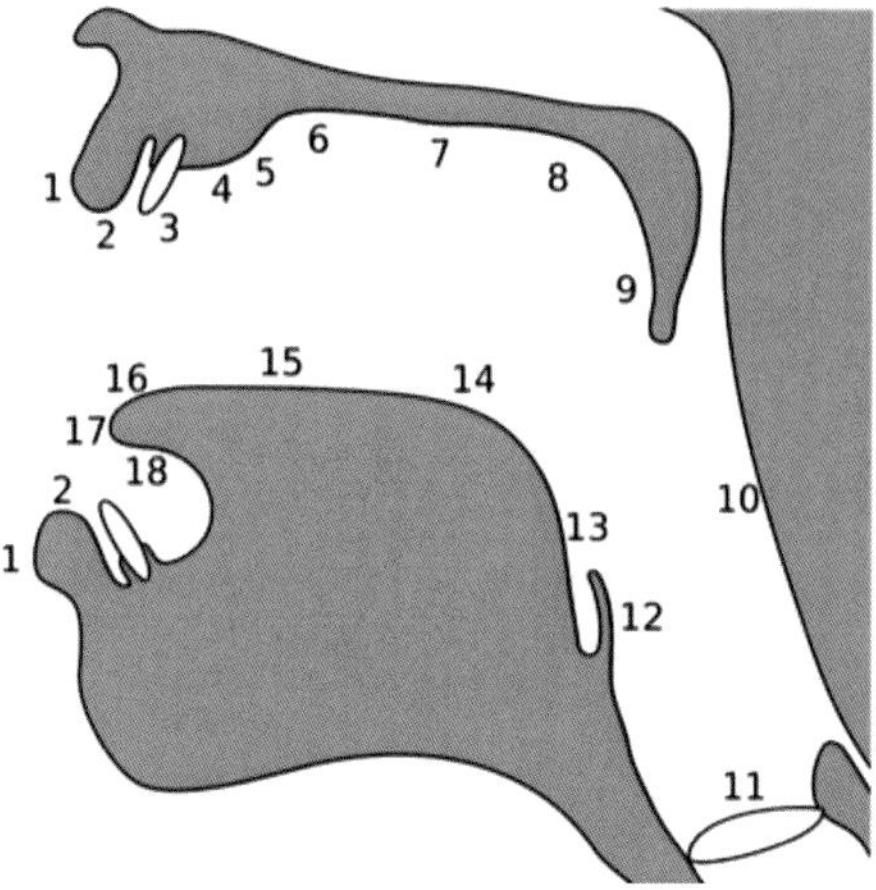

Created by User:ish shwar (orginal .png deleted), .svg by Rohieb – sagittal section image
Based on Minifie et al. (1973☺; articulation places are from Catford (1977) CC BY-SA 3.0

	양순음 (1)	치경음 (4)	치경구개음 (4, 7)	경구개음 (7)	연구개음 (8)	구개수음 (9)	성문음 (11)
비음	/m	/ n	/ ɲ		/ ŋ	/ ɴ	
파열음	p / b	t / d			k / g		
마찰음	ɸ /	s / z	ɕ / ʑ	ç /			h /
파찰음		ts/dz	tɕ/dʑ				
유음		ɾ					
반모음				/ j	/ɰ		

子音 (ょ行)

IPA	설명	성대 떨림	예시
요: [jo]	7 번에 혀를 대고, 접근음을 낸다.	유성음	요리[jori]
よ: [jo̞]	7 번에 혀를 대고, 접근음을 낸다.	유성음	より[jo̞ri]
きょ: [kʲo̞]	7 번에 혀를 대고(i), 파열음을 낸다.	무성음	きょうと[kjo̞:to̞]
ぎょ: [gʲo̞]	7 번에 혀를 대고(i), 파열음을 낸다.	유성음	ぎょうざ[gjo̞:za]
しょ: [ɕo̞]	4, 7 번에 혀를 대고, 마찰음을 낸다.	무성음	しょうにん[ɕo̞:niɴ]
じょ: [ʑo̞]	4, 7 번에 혀를 대고, 마찰음을 낸다.	유성음	じょげん[dʑo̞ge̞ɴ]
ちょ: [tɕo̞]	4, 7 번에 혀를 대고, 파찰음을 낸다.	무성음	ちょきん[tɕo̞kiɴ]
ぢょ: [dʑo̞]	4, 7 번에 혀를 대고, 파찰음을 낸다.	유성음	
にょ: [ɲo̞]	4, 7 번에 혀를 대고, 비음을 낸다.	유성음	にょそう[njo̞so̞:]
ひょ: [ço̞]	7 번에 혀를 대고, 마찰음을 낸다.	무성음	ひょうばん[çjo̞:baɴ]
びょ: [bʲo̞]	1 번에서 파열음을 낸다. 7 번에 혀가 닿는다(i).	유성음	びょうき[bjo̞:ki]
ぴょ: [pʲo̞]	1 번에서 파열음을 낸다. 7 번에 혀가 닿는다(i).	무성음	ぴょんぴょん [pjo̞ɴpjo̞ɴ]
みょ: [mʲo̞]	1 번에서 비음을 낸다. 7 번에 혀가 닿는다(i).	유성음	みょう[mjo̞:]
りょ: [ɾʲo̞]	4 번에 혀를 대고, 탄음을 낸다. 7 번에 혀가 닿는다(i).	유성음	りょうしん[ɾjo̞:ɕiɴ]

COPYRIGHT (c) 2024 TOTODO HOLDINGS
ALL RIGHTS RESERVED.

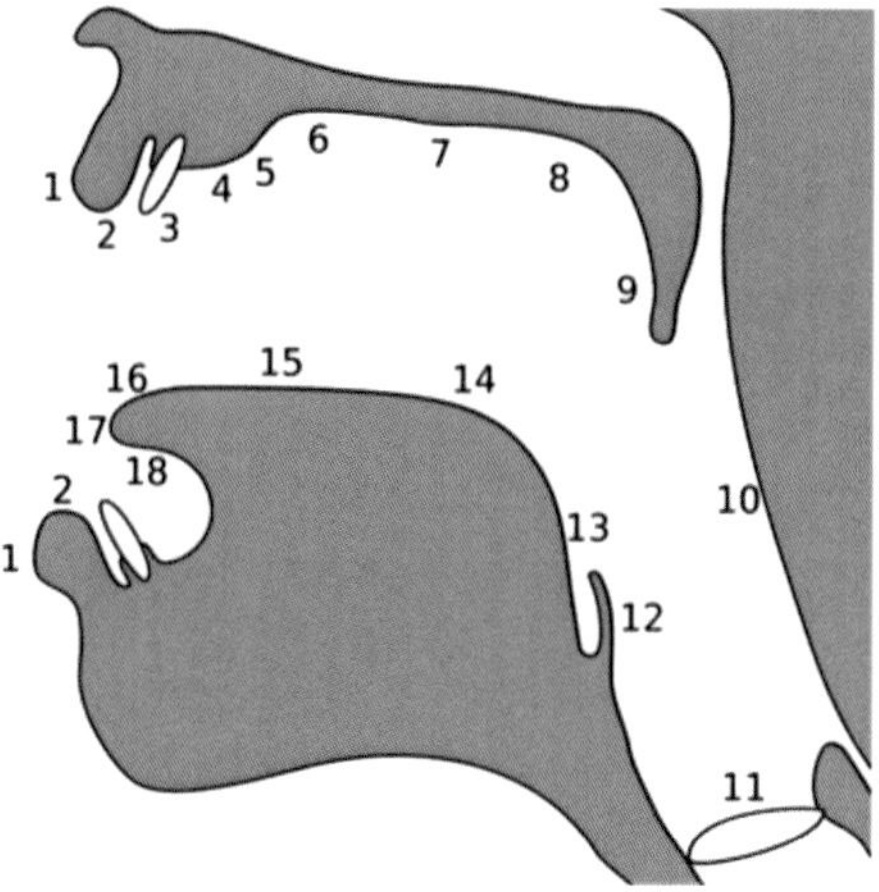

Created by User:ish shwar (orginal .png deleted), .svg by Rohieb – sagittal section image
Based on Minifie et al. (1973☺; articulation places are from Catford (1977) CC BY-SA 3.0

	양순음 (1)	치경음 (4)	치경구개음 (4, 7)	경구개음 (7)	연구개음 (8)	구개수음 (9)	성문음 (11)
비음	/m	/ n	/ ɲ		/ ŋ	/ ɴ	
파열음	p / b	t / d			k / g		
마찰음	ɸ /	s / z	ɕ / ʑ	ç /			h /
파찰음		ts/dz	tɕ/dʑ				
유음		ɾ					
반모음				/ j	/ɰ		

🖤 撥音・促音・長音 🖤

IPA	설명	성대 떨림	예시
ん: [ɴ, ŋ]	9 번에 혀를 대고, 비음을 낸다[ɴ]. k, g 앞에서는 8 번에 혀를 대고, 비음을 낸다[ŋ].	유성음	ニンテンド [niɴte̞ɴdo̞] ハンバーガー [hänbäːgäː] にほん [niho̞ɴ] あんこ [äŋko̞]
っ: [kː, sː, pː, ʔ]	뒤에 오는 자음을 길게 발음한다. 한국어 기준으로는 뒤 자음을 가져와 받침으로 한 박자 더 넣는다고 생각하면 쉽다. 강조나 감정을 표현할 때, 11 번에서 소리가 차단되는 글로탈 스톱(Glottal Stop)[ʔ]이 생기는 경우도 있다.	무성음	けっこん[ke̞kːo̞ɴ] いっしょに [iɕːo̞ni] はっぴょう [häpːjo̞ː] あっさり [äsːäɾi]
ー[ː]	앞의 문자의 모음을 한 박자 더 발음한다.	앞 문자에 따름	ビール [biːɾu] おおさか[o̞ːsäkä] けいたい [ke̞ːäi] そうですか [so̞ːde̞sɯkä]

COPYRIGHT © 2024 TOTODO HOLDINGS
ALL RIGHTS RESERVED.

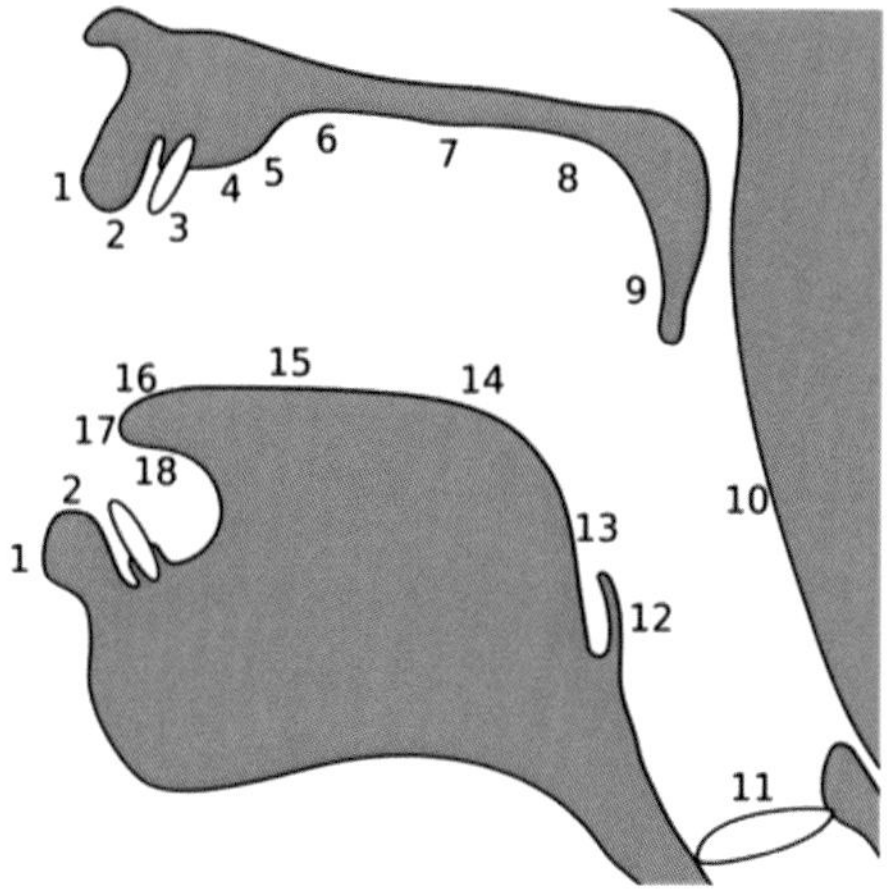

Created by User:ish shwar (orginal .png deleted), .svg by Rohieb – sagittal section image
Based on Minifie et al. (1973☺; articulation places are from Catford (1977) CC BY-SA 3.0

	양순음 (1)	치경음 (4)	치경구개음 (4, 7)	경구개음 (7)	연구개음 (8)	구개수음 (9)	성문음 (11)
비음	/m	/ n	/ ɲ		/ ŋ	/ ɴ	
파열음	p / b	t / d			k / g		
마찰음	ɸ /	s / z	ɕ / ʑ	ç /			h /
파찰음		ts/dz	tɕ/dʑ				
유음		ɾ					
반모음				/ j	/ɰ		

俺の日本語

俺のコツ

1. 한국어와 일본어의 근본적인 발성차이

- 한국어

  입 바로 앞에서 나는 건조한 소리. 입에 힘을 줘서 열심히 움직인다.

- 일본어

  목과 코가 울리는 촉촉한 소리.입에 힘을 빼고 대충 움직인다.

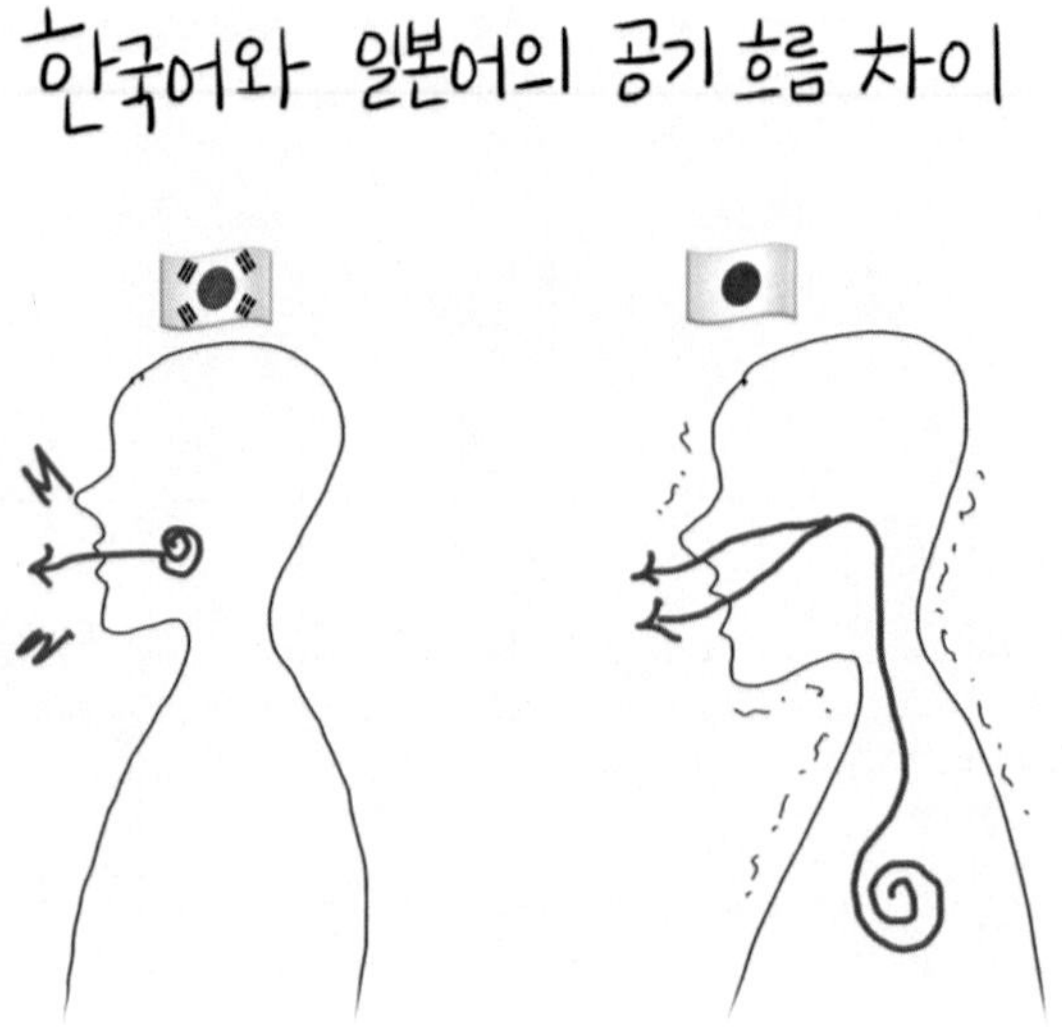

COPYRIGHT (c) 2024 TOTODO HOLDINGS
ALL RIGHTS RESERVED.

2. 한국인이 어려워하는 발음

영어발음으로 교체하면 쉽다.

「つ」 → ‘츠’가 아닌 ‘tsu’

(‘츠’와 달리 혓바닥이 앞 이빨에 최대한 밀착한다)

「だ」 → ‘다’가 아닌 ‘da’ (은다, 진동 울리는 비음)＋でど

「が」 → ‘가’가 아닌 ‘ga’ (응가, 진동 울리는 비음)＋ぎぐげご

「な」 → ‘나’가 아닌 ‘na’ (은나, 진동 울리는 비음)＋にぬねの

「ま」 → ‘마’가 아닌 ‘ma’ (음마, 진동 울리는 비음)＋みむめも

「ざ」 → ‘자’가 아닌 ‘za’ (은자, 진동 울리는 비음)＋じずぜぞ

「じゃ」 → zya 와 쟈의 중간발음 (zya 를 대충 말하면 된다.)

＋じゅ・じょ

「た」 → 입 앞에 손바닥을 댔을 때 공기가 터져나가지 않는 ‘타’ ＋ て・と

「か」 → 입 앞에 손바닥을 댔을 때 공기가 터져나가지 않는 ‘카’ ＋ き・く・け・こ

「お」 → 입술이 튀어나오지 않는 ‘오’

(힘을 빼고 대충 말하면 입술이 안 튀어나간다.)

「う」 → 입술이 튀어나오지 않는 ‘우’

(힘을 빼고 대충 말하면 입술이 안 튀어나간다.)

3. 받침은 존재하지 않는다

- ん과 っ는 뒤에 뭐가 오느냐에 따라 발음이 달라진다. 하지만 신경쓰지 않는다. 가장 발음이 편한 받침으로 자연스럽게 발음한다.

✓ あんま (ㅁ, ㄴ, ㅇ) 암마 안마 앙마

✓ あんな (ㅁ, ㄴ, ㅇ) 암나 안나 앙나

✓ あんあ (ㅁ, ㄴ, ㅇ) 암아 안아 앙아

✓ あんか → ?

Ex)

ざ**ん**まい → 자**ㅁ**마이

お**ん**な → 오**ㄴ**나

と**ん**かつ → 토**ㅇ**카츠

しゅ**っ**ぱつ → 슈**ㅂ**빠쯔

しま**っ**た → 시마**ㄷ**따

さ**っ**き → 사**ㄱ**끼

4. 음절

- 우리가 받침이라고 착각하는 ん과 っ은 어엿한 1 음절이다. 한 박자를 부여한다.

Ex) かんたん → 4 음절

かんこく(캉꼬꾸 x, 카'앙'꼬꾸 o)

しゅっぱつ → 4 음절

まっちゃ(맛쨔 x, 맛-쨔 o)

COPYRIGHT ©2024 TOTODO HOLDINGS
ALL RIGHTS RESERVED

5. 장음

1) 같은 모음이 나오면 장음 처리

✓ くうき(쿠우끼, 공기)

✓ ゆうき(유우끼, 용기)

✓ おおきい(오오끼이, 크다)

✓ やきゅう(야뀨우, 야구)

2) 「え단」 다음 「い」가 나오면 장음 처리

✓ しつれい(시츠레에, 실례)

✓ きみのせい(키미노세에, 너의 탓, 너 때문)

✓ げいのうじん(게에노오지잉, 연예인)

3) 「お단」 다음 「う」가 나오면 장음 처리

✓ おうじさま(오오지사마, 왕자님)

✓ そうですか？(소오데스까?, 그런가요?)

✓ こうえん(코오에엥, 공원)

✓ りょうり(료오리, 요리)

- 노래 가사나 강조하고 싶을 때에는 장음처리를 하지 않고 읽는 경우가 있다.

ex) けいさつ(케'이'사츠, 경찰)、せんせい(세엔세'이', 선생님) 등

6. 발음 해보기

- 타 た 다 だ
- 테 て 데 で
- 토 と 도 ど
- 카 か 가 が
- 키 き 기 ぎ
- 쿠 く 구 ぐ
- 케 け 게 げ
- 코 こ 고 ご

\- すまない。もうかわいいって笑ってくれない。
代わりに韓国人だと言ったら驚いてくる(笑)。

COPYRIGHT (c) 2024 TOTODO HOLDINGS
ALL RIGHTS RESERVED.

「一生支えられる概念。」

言語獲得理論総整理

1. 情意フィルターの仮説
2. インプット仮説
3. 自然順序性仮説
4. 習得学習仮説
5. モニター仮説

俺の休憩は推進力を得るため！「1」

교과서에는 없는, 현지인들이 자주 쓰는 표현 5개를 배워보자

1.　ごまをする（아부를 떨다（

俺《おれ》はごまをするのが苦手《にがて》だ。 - 나는 아부를 떠는 것이 맞지 않아.

2.　安全《あんぜん》パイ（완전히 안전한 모양）

俺《おれ》に任《まか》せれば安全《あんぜん》パイだよ！ - 나에게 맡기면 완전 안전하지！

3.　病《や》みつき（중독 되다（

BLの漫画《まんが》観《み》るのに病《や》みつきになっちゃった。 - BL 만화 보는 거에 중독돼 버렸어.

4.　ハマる（빠지다（

最近《さいきん》ドドトにハマっててやばい！ - 최근 도도토에게 빠져있어서 위험해！

5.　バタバタする（바쁘다）

今頃仕事《いまごろしごと》でバタバタしてるはず。 - 지금쯤 일로 바타바타 하고 있을(바쁠) 거야.

COPYRIGHT (c) 2024 TOTODO HOLDINGS
ALL RIGHTS RESERVED.

第二章

文章が分かる、超効率の基礎文法。

#「その１、形容詞。」

1. い형용사와 な형용사의 구별

- 단어 끝에 い가 붙어있으면 い형용사, い가 없으면 な형용사로 보면 된다.

✓ 青《あお》い　파랗다

✓ 美《お》味《い》しい　맛있다

✓ 暑《あつ》い　덥다

✓ 冷《つめ》たい　차갑다

✓ 綺麗《きれい》　예쁘다, 깨끗하다

✓ 静《しず》か　조용하다

✓ 上《じょう》手《ず》　잘하다

✓ 好《す》き　좋아하다😳

- きれい는 な형용사다. 끝에 い가 있는게 아니라, い까지 綺麗《きれい》라는 한자이기 때문이다.

COPYRIGHT (c) 2024 TOTODO HOLDINGS
ALL RIGHTS RESERVED.

2. 평서형

- い형용사는 그대로, な형용사는 그대로 쓰거나 「だ」를 붙인다.

✓ 空《そら》が青《あお》い 하늘이 파랗다

✓ お菓子《かし》は美味《おい》しい 과자는 맛있어

✓ ドドトは綺麗《きれい》だ 도도토는 예쁘다

✓ 私《わたし》は静《しず》か 나는 조용해

- 존경어는 い형용사와 な형용사 전부 원형에 「です」만 붙여서 만든다.

✓ 空《そら》が青《あお》いです 하늘이 파랗습니다

✓ お菓子《かし》は美味《おい》しいです 과자는 맛있어요

✓ ドドトは綺麗《きれい》です 도도토는 예쁩니다

✓ 私《わたし》は静《しず》かです 저는 조용해요

- 한국어는 '잘하다'가 동사지만, 일본어의 上手《じょうず》는 형용사기 때문에, 조사를「を」가 아닌 「が」를 사용한다.
- 好《す》き (좋아하다)、 嫌《きら》い (싫어하다)、 上手《じょうず》 (잘하다)、 下手《へた》 (못하다) 등이 대표적이다.

俺の日本語

3. 뒤에 명사가 나올 때

- 수식할 때 い형용사는 원형 그대로, な형용사는 뒤에 「な」를 붙인다.

✓ 青《あお》い空《そら》が懐《なつ》かしい 파란 하늘이 그립다

✓ 美味《おい》しい料理《りょうり》を作《つく》る 맛있는 요리를 만들다

✓ 暑《あつ》い天気《てんき》が続《つづ》いてる 더운 날씨가 계속되고 있다

✓ 冷《つめ》たい水《みず》を飲《の》みたい 차가운 물을 마시고 싶다

✓ 綺麗《きれい》な人《ひと》と付《つ》き合《あ》いたい 예쁜 사람과 사귀고 싶다

✓ 私《わたし》は静《しず》かな人《ひと》だ 나는 조용한 사람이다

✓ サッカーが上手《じょうず》な人《ひと》が好《す》きだ 축구를 잘하는 사람이 좋다

✓ 好《す》きな人《ひと》と行《い》きたい 좋아하는 사람과 가고 싶다

COPYRIGHT (c) 2024 TOTODO HOLDINGS
ALL RIGHTS RESERVED.

4. 부정형

- い형용사는 「い」를 빼고 「くない」를 붙이고, な형용사는 뒤에 「ではない」를 붙인다.

✓ 空《そら》は青《あお》くない　하늘은 파랗지 않다

✓ これは美味《おい》しくない　이것은 맛있지 않다

✓ 今日《きょう》は暑《あつ》くない　오늘은 덥지 않다

✓ 水《みず》が冷《つめ》たくない　물이 차갑지 않다

✓ ドドトちゃんは綺麗《きれい》ではない　도도토짱은 예쁘지 않다

✓ 私《わたし》は静《しず》かではない　나는 조용하지 않다

✓ テニスが上手《じょうず》ではない　테니스를 잘 하지 못한다

✓ あの子《こ》は好《す》きではない　저 아이는 좋아하지 않는다

- 존경어로 바꿀 때는 ない를 「ありません」으로 바꾸거나, 뒤에 「です」를 붙이면 된다.
- では의 회화체는 「じゃ」이며 같은 의미다.

5. 추측

- い형용사와 な형용사 모두 뒤에 「だろう」、「でしょう」를 붙인다.

✓ 空《そら》は青《あお》いだろう　하늘은 파랗겠지

✓ 外《そと》に誰《だれ》だろう？　밖에 누굴까?

✓ 韓国《かんこく》はまだ寒《さむ》いだろう？　한국은 아직 춥지?

✓ だろう！　거 봐!

✓ 空《そら》は青《あお》いでしょう　하늘은 파랗겠죠

✓ 外《そと》に誰《だれ》でしょう？　밖에 누굴까요?

✓ 韓国《かんこく》はまだ寒《さむ》いでしょう？　한국은 아직 춥죠?

✓ でしょう！？　그쵸!?

- だろう와 でしょう의 근본적 이미지는 '추측'이다.

COPYRIGHT (c) 2024 TOTODO HOLDINGS
ALL RIGHTS RESERVED

6. 문장과 문장의 연결(て형) [~하고, ~해서]

- い형용사는 「い」를 빼고 「くて」를 붙이고, な형용사는 뒤에 「で」를 붙인다.

✓ 空《そら》が青《あお》くて綺麗《きれい》だ 하늘이 파랗고 예쁘다

✓ 料理《りょうり》が美味《おい》しくて嬉《うれ》しい 요리가 맛있어서 기쁘다

✓ 暑《あつ》くて疲《つか》れて汗《あせ》が止《と》まらない 덥고 지쳐서 땀이 멈추지 않는다

✓ 冷《つめ》たくて中々《なかなか》食《た》べられない 차가워서 좀처럼 못 먹겠다

✓ 私《わたし》は綺麗《きれい》で人気《にんき》だ 나는 예뻐서 인기가 많다

✓ 私《わたし》は静《しず》かで格好《かっこう》いい人《ひと》だ 나는 조용하고 멋있는 사람이다

✓ 私《わたし》はサッカーが上手《じょうず》でテニスも上手《じょうず》だ 나는 축구를 잘하고 테니스도 잘한다

✓ この子《こ》も好《す》きであの子《こ》も好《す》きだ👍 이 아이도 좋아하고 저 아이도 좋아한다

- 일본인은 '하고'인지 '해서'인지 구별하지 않는다. 그렇다면 우리도 구별할 필요가 없다.

俺の日本語。

7. 부사화 [~하게, ~히]

- い형용사는 「い」를 빼고 「く」를 붙여주고, な형용사는 원형 뒤에 「に」를 붙여준다.

✓ 空《そら》は青《あお》く塗《ぬ》ってください　하늘은 파랗게 칠해주세요

✓ 料理《りょうり》を美味《おい》しく作《つく》ってください　요리를 맛있게 만들어주세요

✓ 最近《さいきん》天気《てんき》が暑《あつ》くなりました　최근 날씨가 더워졌어요

✓ お水《みず》は冷《つめ》たくしてください　물은 차갑게 해주세요

✓ ご飯《はん》は綺麗《きれい》に食《た》べてください　밥은 깨끗히 먹어주세요

✓ 部屋《へや》では静《しず》かにしてください　방에서는 조용히 해주세요

✓ あの件《けん》は上手《じょうず》に仕上《しあ》げてください　그 건은 잘 처리해 주세요

✓ 彼《かれ》が好《す》きになりました　그가 좋아졌어요

- 물리적인 '이', '그', '저', '어느'는 「こ」、「そ」、「あ」、「ど」로 똑같이 사용하지만, 생각 속의 '그'것을 말할 때 일본어는 '저'것이라고 하며「あ」를 사용한다.

COPYRIGHT (c) 2024 TOTODO HOLDINGS
ALL RIGHTS RESERVED.

8. 과거형

- い형용사는 い를 빼고 「かった」를 붙여주고, な형용사는 원형 뒤에 「だった」를 붙여준다.

✓ 空《そら》が青《あお》かった　하늘이 파랬었다

✓ これは美味《おい》しかった　이것은 맛있었다

✓ 昨日《きのう》は暑《あつ》かった　어제는 더웠었다

✓ 水《みず》が冷《つめ》たかった　물이 차가웠다

✓ ドドトちゃんは綺麗《きれい》だった　도도토쨩은 예뻤었다

✓ 私《わたし》 は静《しず》かな人《ひと》だった　나는 조용한 사람이었다

✓ テニスは上手《じょうず》だった　테니스는 잘했었다

✓ あの子《こ》が好《す》きだった　저 아이를 좋아했었다

- 과거형을 존경어로 바꿀땐 い형용사는 「です」를 붙이고, な형용사는 だった를 「でした」로 바꾸면 된다.
- 과거형은 い 형용사, な 형용사(명사) 모두 뒤에 명사를 붙이면 자동으로 수식한다.

Ex) 可愛かった子(귀여웠던 아이)、格好良《かっこうよ》かったドドト(멋있었던 도도토)、簡単だった問題(간단했던 문제)、人だった化け物(사람이었던 괴물)

9. 가정 및 조건

- い형용사는 い를 빼고 「ければ」를 붙이고, な형용사는 원형 뒤에 「なら」를 붙인다.

✓ 空《そら》が青《あお》ければいいね 하늘이 파랬으면 좋겠네

✓ 料理《りょうり》が美味《おい》しければ食《た》べる 요리가 맛있다면 먹을거야

✓ 明日《あした》暑《あつ》ければ行《い》きたくない 내일 더우면 가기 싫어

✓ 冷《つめ》たければもっと美味《おい》しいと思《おも》う 차가웠으면 더 맛있을 거라고 생각해

✓ 顔《かお》が綺麗《きれい》ならもっといい 얼굴이 이쁘다면 더 좋아

✓ 静《しず》かな人《ひと》なら会《あ》いたくない 조용한 사람이라면 만나고 싶지 않아

✓ 勉強《べんきょう》が上手《じょうず》なら大学《だいがく》に行《い》く 공부를 잘한다면 대학에 갈거야

✓ あの子《こ》が好《す》きなら告白《こくはく》した方《ほう》がいい 그 아이를 좋아한다면 고백하는게 나아

\- 의문형을 만들 때에는 모든 용법에
반말: 뒤에 ?만 붙여주면 된다.
존경어: 뒤에 か?를 붙여주면 된다.

COPYRIGHT (c) 2024 TOTODO HOLDINGS
ALL RIGHTS RESERVED.

10. 직접 써보기

美味《おい》しい

맛있다:

맛있습니다:

맛있는 물:

맛있지 않다:

맛있지 않습니다:

맛있었다:

맛있었습니다:

맛있지 않았어:

맛있지 않았습니다:

맛있어?:

맛있습니까?:

맛있지 않아?:

맛있지 않습니까?:

맛있었어?:

맛있지 않았습니까?:

簡単《かんたん》

간단하다:

간단합니다:

간단한 테스트:

간단하지 않다:

간단하지 않습니다:

간단했다:

간단했습니다:

간단하지 않았다:

간단하지 않았습니다:

간단해?:

간단합니까?:

간단하지 않아?:

간단하지 않습니까?:

간단했어?:

간단하지 않았습니까?:

COPYRIGHT (c) 2024 TOTODO HOLDINGS
ALL RIGHTS RESERVED.

「その２、動詞。」

• 동사의 이해

1. 동사의 이해

일본어의 동사에는 총 3 그룹의 동사가 있다.

그럼 왜 동사를 3 그룹으로 나누었을까?

그것은 동사에 따라서 변형되는 형태가 달라지기 때문이다.

1) 1 그룹 동사

ある 있다 → あって　あります

行《い》く 가다 → 行《い》って　行《い》きます

飲《の》む 마시다 → 飲《の》んで　飲《の》みます

遊《あそ》ぶ 놀다 → 遊《あそ》んで　遊《あそ》びます

言《い》う 말하다 → 言《い》って　言《い》います

2) 2 그룹 동사

いる 있다 → いて　います

開《あ》ける 열다 → 開《あ》けて　開《あ》けます

覚《おぼ》える 기억하다 → 覚《おぼ》えて　覚《おぼ》えます

見《み》る 보다 → 見《み》て　見《み》ます

辞《や》める 그만두다 → 辞《や》めて　辞《や》めます

3) 3 그룹 동사

する 하다、来《く》る 오다

이 두 가지만 불규칙적으로 변화한다.

(3 그룹 동사 강의 때 자세히 다룰 예정)

COPYRIGHT © 2024 TOTODO HOLDINGS
ALL RIGHTS RESERVED.

2. 1그룹 동사의 구별

1) 끝이 る로 끝나지 않고 う단으로 끝나는 동사

✓ 話《はな》す 이야기하다

✓ 行《い》く 가다

✓ 飲《の》む 마시다

✓ 遊《あそ》ぶ 놀다

✓ 言《い》う 말하다

2) 끝이 る로 끝나고 る앞에 あ、う、お단의 글자가 오는 동사

✓ ある 있다

✓ 売《う》る 팔다

✓ 作《つく》る 만들다

✓ 撮《と》る 찍다

✓ 分《わ》かる 알다

3. 2그룹 동사의 구별

1) 끝이 る로 끝나고 る앞에 い、え단의 글자가 오는 동사

✓ いる 있다

✓ 入《い》れる 넣다

✓ 覚《おぼ》える 기억하다

✓ できる 할 수 있다

✓ 開《あ》ける 열다

COPYRIGHT (c) 2024 TOTODO HOLDINGS
ALL RIGHTS RESERVED.

- **1, 2그룹 동사의 활용**

1. 뒤에 명사가 나올 때

동사는 1 그룹 동사, 2 그룹 동사 모두 명사를 붙이면 자동으로 수식한다.

1) 1 그룹 동사

売《う》る 팔다 → 売《う》る物《もの》 파는 물건

作《つく》る 만들다 → 作《つく》るおもちゃ 만드는 장난감

遊《あそ》ぶ 놀다 → 遊《あそ》ぶ時間《じかん》 노는 시간

2) 2 그룹 동사

食《た》べる 먹다 → 食《た》べる物《もの》 먹는 것

開《あ》ける 열다 → 開《あ》けるドア 여는 문

覚《おぼ》える 기억하다 → 覚《おぼ》える能力《のうりょく》 기억하는 능력

- 자동수식: い형용사, 동사(1, 2, 3그룹 전부)
  뒤에 な를 붙여서 수식: な형용사
  뒤에 の를 붙여서 수식: 명사
- 과거형이 되면 な형용사와 명사도 자동수식 된다. (앞 형용사 파트에 예시 有)

2. 부정형 (〜ない) [~하지 않다]

1 그룹 동사의 끝을 「あ」단으로 바꿔주고「ない」를 붙인다.

단, 「う」로 끝나는 발음은 「あ」가 아닌, 「わ」로 바꿔준다.

2 그룹 동사는 「る」를 지우고 「ない」를 붙인다.

1) 1그룹 동사

売《う》る 팔다 → 売《う》らない

作《つく》る 만들다 → 作《つく》らない

遊《あそ》ぶ 놀다 → 遊《あそ》ばない

言《い》う 말하다 → 言《い》わない

ある 있다 → ない

2) 2그룹 동사

食《た》べる 먹다 → 食《た》べない

開《あ》ける 열다 → 開《あ》けない

覚《おぼ》える 기억하다 → 覚《おぼ》えない

見《み》る 보다 → 見《み》ない

辞《や》める 그만두다 → 辞《や》めない

- 부정형의 과거형은 「〜なかった」임 → い형용사의 과거형 만들기랑 똑같음!
- 왜일까?

COPYRIGHT © 2024 TOTODO HOLDINGS
ALL RIGHTS RESERVED

3. 존경어 （～ます、～ません）[~합니다, ~하지 않습니다]

1 그룹 동사는 끝을 「い」단으로 바꾸고 「ます」、「ません」을 붙인다.

2 그룹 동사는 맨 끝의 「る」를 지우고 「ます」、「ません」을 붙인다.

1) 1 그룹 동사

売《う》る 팔다 → 売《う》ります 売《う》りません

作《つく》る 만들다 → 作《つく》ります 作《つく》りません

遊《あそ》ぶ 놀다 → 遊《あそ》びます 遊《あそ》びません

書《か》く 쓰다 → 書《か》きます 書《か》きません

泳《およ》ぐ 헤엄치다 → 泳《およ》ぎます 泳《およ》ぎません

2) 2그룹 동사

入《い》れる 넣다 → 入《い》れます 入《い》れません

覚《おぼ》える 기억하다 → 覚《おぼ》えます 覚《おぼ》えません

忘《わす》れる 잊어버리다 → 忘《わす》れます 忘《わす》れません

できる 할 수 있다 → できます できません

開《あ》ける 열다 → 開《あ》けます 開《あ》けません

- 과거형은
  긍정문: 「ます」를 「ました」로 바꾸고,
  부정문: 「ません」 뒤에 「でした」를 붙인다.
- '~하고싶다', '~하고싶어 하다'는 ます형에 「～たい」、「～たがる」를 붙인다.
- 「たい」는 い형용사 취급하여, い형용사의 모든 변형 법칙이 적용 가능하다.
- 「たがる」도 1그룹 동사이므로, 1그룹 동사의 모든 변형 법칙이 적용 가능하다.

COPYRIGHT (c) 2024 TOTODO HOLDINGS
ALL RIGHTS RESERVED.

4.　의지형（～おう、~よう）[~하자]

1 그룹 동사의 끝을 「お」단으로 바꾸고「う」를 붙인다.

2 그룹 동사의 끝의 「る」를 지우고, 「よう」를 붙인다.

1)　1 그룹 동사

売《う》る 팔다 → 売《う》ろう

作《つく》る 만들다 → 作《つく》ろう

遊《あそ》ぶ 놀다 → 遊《あそ》ぼう

書《か》く 쓰다 → 書《か》こう

死《し》ぬ 죽다 → 死《し》のう

2)　2 그룹 동사

入《い》れる 넣다 → 入《い》れよう

覚《おぼ》える 기억하다 → 覚《おぼ》えよう

忘《わす》れる 잊어버리다 → 忘《わす》れよう

開《あ》ける 열다 → 開《あ》けよう

食《た》べる 먹다 → 食《た》べよう

5.　명령형（～え、～ろ）[~해/해라]

1 그룹 동사는 끝을 「え」단으로 바꾼다.

2 그룹 동사는 끝의 「る」를 지우고 「ろ」를 추가한다.

1)　1 그룹 동사

売《う》る 팔다 → 売《う》れ

作《つく》る 만들다 → 作《つく》れ

遊《あそ》ぶ 놀다 →遊《あそ》べ

書《か》く 적다 → 書《か》け

行《い》く 가다 → 行《い》け

2)　2 그룹 동사

入《い》れる 넣다 → 入《い》れろ

覚《おぼ》える 기억하다 → 覚《おぼ》えろ

忘《わす》れる 잊어버리다 → 忘《わす》れろ

開《あ》ける 열다 → 開《あ》けろ

逃《に》げる 도망가다 → 逃《に》げろ

COPYRIGHT (c) 2024 TOTODO HOLDINGS
ALL RIGHTS RESERVED

6.　가능형 (～える、～られる) [~할 수 있다]

1 그룹 동사는 끝을 「え」단으로 바꾸고, 「る」를 붙인다.

2 그룹 동사는 끝의 「る」를 지우고 「られる」를 붙인다.

1)　1 그룹 동사

売《う》る 팔다 → 売《う》れる

作《つく》る 만들다 → 作《つく》れる

遊《あそ》ぶ 놀다 → 遊《あそ》べる

泳《およ》ぐ 헤엄치다 → 泳《およ》げる

打《う》つ 쏘다 → 打《う》てる

2)　2 그룹 동사

入《い》れる 넣다 → 入《い》れられる

覚《おぼ》える 기억하다 → 覚《おぼ》えられる

忘《わす》れる 잊어버리다 → 忘《わす》れられる

開《あ》ける 열다 → 開《あ》けられる

閉《し》める 닫다 → 閉《し》められる

- 가능형은 え단+る로 끝나기 때문에 2그룹 동사임. 당연히 동사의 모든 법칙이 적용 가능하다.

- **て형 [~하고, ~해서, 해(줘)]**

1. 1그룹 동사의 변형

우츠루 / 누무부 / 쿠 / 구 / 스

1) う、つ、る로 끝나는 1그룹 동사의 변형

買《か》う 사다 → 買《か》って 사고, 사서, 사(줘)

立《た》つ 서다 → 立《た》って 서고, 서서, 서(줘)

乗《の》る 타다 → 乗《の》って 타고, 타서, 타(줘)

2) ぬ、む、ぶ로 끝나는 1그룹 동사의 변형

死《し》ぬ 죽다 → 死《し》んで 죽고, 죽어서, 죽어(줘)

飲《の》む 마시다 → 飲《の》んで 마시고, 마셔서, 마셔(줘)

遊《あそ》ぶ 놀다 → 遊《あそ》んで 놀고, 놀아서, 놀아(줘)

COPYRIGHT (c) 2024 TOTODO HOLDINGS
ALL RIGHTS RESERVED

3)　く、ぐ로 끝나는 1그룹 동사의 변형

書《か》く 쓰다 → 書《か》いて 쓰고, 써서, 써(줘)

輝《かがや》く 빛나다 → 輝《かがや》いて 빛나고, 빛나서, 빛나(줘)

脱《ぬ》ぐ 벗다 → 脱《ぬ》いで 벗고, 벗어서, 벗어(줘)

泳《およ》ぐ 헤엄치다 → 泳《およ》いで 헤엄치고, 헤엄쳐서, 헤엄쳐(줘)

예외) 「行《い》く」는 く로 끝나는 1그룹 동사이지만, 「行《い》って」로 변형된다.

4)　す로 끝나는 1그룹 동사의 변형

貸《か》す 빌리다 → 貸《か》して 빌리고, 빌려서, 빌려(줘)

話《はな》す 이야기하다 → 話《はな》して 이야기하고, 이야기해서, 이야기해(줘)

2. 2그룹 동사의 변형

「る」를 빼주고 「て」를 붙여주면 된다

食《た》べる 먹다 → 食《た》べて 먹고, 먹어서, 먹어(줘)

入《い》れる 넣다 → 入《い》れて 넣고, 넣어서, 넣어(줘)

예외) 「帰《かえ》る 돌아가다」는 2그룹 동사처럼 보이지만 1그룹 동사이기 때문에(예외 1그룹 동사), 帰《かえ》って로 변형이 된다.

예) 要《い》る 필요하다, 入《はい》る 들어가다, 切《き》る 끊다, 喋《しゃべ》る 떠들다, 走《はし》る 달리다, 知《し》る 알다

- 여기서 て、で 대신에 た、だ를 넣어주면 과거형의 반말 형태가 된다.

COPYRIGHT (c) 2024 TOTODO HOLDINGS
ALL RIGHTS RESERVED.

- **과거형(~했어, ~했다)**

買《か》う 사다 → 買《か》った 샀어, 샀다

飲《の》む 마시다 → 飲《の》んだ 마셨어, 마셨다

書《か》く 쓰다 → 書《か》いた 썼어, 썼다

脱《ぬ》ぐ 벗다 → 脱《ぬ》いだ 벗었어, 벗었다

貸《か》す 빌리다 → 貸《か》した 빌렸어, 빌렸다

食《た》べる 먹다 → 食《た》べた 먹었어, 먹었다

煮《に》る 찌다 → 煮《に》た 쪘어, 쪘다

- **3그룹 동사의 활용**

기본적으로 3 그룹 동사는 두가지 밖에 없다.

する、来《く》る

이 두가지는 1, 2 그룹 동사와 다르게 변형이 되는데

규칙이 없기 때문에 따로 외워야 한다.

1. 부정형（～ない）

作《つく》る 만들다 → 作《つく》らない 만들지 않다

食《た》べる 먹다 → 食《た》べない 먹지 않다

する 하다 → しない 하지 않다

来《く》る 오다 → 来《こ》ない 오지 않다

2. 존경어（～ます、～ません）

売《う》る 팔다 → 売《う》ります 팝니다 売《う》りません 팔지 않습니다

入《い》れる 넣다 → 入《い》れます 넣습니다 入《い》れません 넣지 않습니다

する 하다 → します 합니다 しません 하지 않습니다

来《く》る 오다 → 来《き》ます 옵니다 来《き》ません 오지 않습니다

COPYRIGHT © 2024 TOTODO HOLDINGS
ALL RIGHTS RESERVED.

3.　의지형（〜おう、〜よう）

遊《あそ》ぶ 놀다 → 遊《あそ》ぼう 놀자

掛《か》ける 걸다 → 掛《か》けよう 걸자

する 하다 → しよう 하자

来《く》る 오다 → 来《こ》よう 오자

4.　명령형（〜え、〜ろ）

飛《と》ぶ 날다 → 飛《と》べ 날아라

舐《な》める 핥다 → 舐《な》めろ 핥아라

する 하다 → しろ 해라 : '해라'라고 명령하면? 시로!

来《く》る 오다 → 来《こ》い 와라 : 사랑, 잉어, 진하다

5.　가능형（～える、～られる）

読《よ》む 읽다 → 読《よ》める 읽을 수 있다

見《み》る 보다 → 見《み》られる 볼 수 있다

する 하다 → できる 할 수 있다

来《く》る 오다 → 来《こ》られる 올 수 있다

6.　て형

飲《の》む 마시다 → 飲《の》んで 마시고, 마셔서, 마셔(줘)

食《た》べる 먹다 → 食《た》べて 먹고, 먹어서, 먹어(줘)

する 하다 → して 하고, 해서, 해(줘)

来《く》る 오다 → 来《き》て 오고, 와서, 와(줘)

- 의문형을 만들 때에는 지금까지 배운 모든 용법에다
  반말: 뒤에 「?」만 붙인다.
  존경어: 뒤에 「か?」를 붙인다.

COPYRIGHT (c) 2024 TOTODO HOLDINGS
ALL RIGHTS RESERVED.

존경어 TIP

作《つく》る

1. 존경어 평서형: 作《つく》ります ≒ 作《つく》るんです (1 번만 뜻이 조금 다름, 강조해서 설명하는 말투)
2. 존경어 과거형: 作《つく》りました＝作《つく》ったです
3. 존경어 부정형: 作《つく》りません＝作《つく》らないです
4. 존경어 과거+부정형: 作《つく》りませんでした＝作《つく》らなかったです

食《た》べる

1. 존경어 평서형: 食《た》べます ≒ 食《た》べるんです
   (1 번만 뜻이 조금 다름, 강조해서 설명하는 말투)
2. 존경어 과거형: 食《た》べました＝食《た》べたです
3. 존경어 부정형: 食《た》べません＝食《た》べないです
4. 존경어 과거+부정형: 食《た》べませんでした＝食《た》べなかったです

- ます는 동사에만 쓰고, です는 형용사, 명사, 동사 전부 다 사용 가능하다.

직접 써보기

呼《よ》ぶ

부르다:

부르지 않다:

부릅니다:

부르지 않습니다:

부르고:

부르자:

불러!:

부를 수 있다:

불러서:

불렀다:

부르지 않았다:

불렀습니다:

부르지 않았습니다:

부르지 않았습니까?

불러~:

부를 수 있었다:

COPYRIGHT (c) 2024 TOTODO HOLDINGS
ALL RIGHTS RESERVED

舐《な》める

핥을게:

핥을래?:

안 핥아:

핥아요:

안 핥아요:

핥고:

핥자:

핥아!

핥을 수 있어:

핥아서:

핥았다:

안 핥았어:

핥았어요:

안 핥았어요:

핥아~:

핥을 수 있었다:

俺の日本語

동사 문법	구별법	부정형	존경어	의지형	명령형	가능형	て형
1그룹 동사							
2그룹 동사							
3그룹 동사							

俺の休憩は推進力を得るため！「2」

사람은 왜 욕부터 배우는 걸까? 모르겠고 일단 4개만 배워보자

1. バカ（바보）

일본에서 가장 일상적으로 사용되는 욕이다.

친구끼리 사용해도 기분 나쁘지 않은 말이지만, 자주 사용하면 재미도 없고 저속해 보이기 때문에 적절한 시기에 적절하게 사용하도록 하자.

2. チビ（꼬맹이, 키 작은 사람）

키가 작은 여성 등에게 농담처럼 사용하는 것은 괜찮지만 주의가 필요하다.

남자는 외모 농담에는 둔감한 반면 키에 민감하기 때문에 재미없으면 결투가 벌어진다.

앞에 「クソ」가 붙으면 욕으로 쓰이기도 한다.

COPYRIGHT © 2024 TOTODO HO
ALL RIGHTS RESERVED.

3. ブス（못생긴 사람（

농담처럼 사용하는 것은 좋지만, 한국보다 외모 평가에 민감한 일본 문화의 특성상 가급적 사용하지 않는 것이 좋다.

특히 여성에게는 사용하지 않는 것이 좋다.

앞에 「クソ」가 붙으면 더 강한 욕이 되지만, 못생겼다는 말만으로도 욕이 되므로 사용에 주의가 필요하다.

4. クソ（씨x, 제길（

「제길」이 나올만한 상황이면 괜찮지만、「씨x」로 사용하는 것은 추천하지 않는다.

「美味《おい》しい」와 같은 형용사 앞에 붙이는 경우에는、「존x, 개」と라는 의미로 쓰인다.

COPYRIGHT (c) 2024 TOTODO HOLDINGS
ALL RIGHTS RESERVED

第三章

俺のオタ活。

「J-POP!」

君讃美歌(Epic ver.)

COPYRIGHT (c) 2024 TOTODO HOLDINGS
ALL RIGHTS RESERVED.

ねぇ 見て あの星がきれいだよ
君と一緒に見つめてるの
ねぇ 一緒に歩いてみよう
どこまでも続くこの道を oh
始まった 僕らの新しい日々
夢みたいに輝いているんだ
やっと見えてきた二人の未来
ずっと続いていてくださ
Ah ah ah ah ah ah ah ah い
Ah ah ah ah ah ah ah ah い
Ah ah ah ah ah ah ah ah い

あのね　君に会ったあの日から
心を開くようになった
ねぇ　どうしてこんなに嬉しいの
初めての感情に戸惑うけど
思い出を一緒に作っていこう
壊れない愛を信じているよ
言葉にできない感情は胸に
語れる愛は今歌うね
始まった僕らの新しい日々
夢みたいに輝いているんだ
やっと見えてきた　二人の未来
ずっと続いていてくださ
Ah ah ah ah ah ah ah ah ah　い
Ah ah ah ah ah ah ah ah ah　い

COPYRIGHT (c) 2024 TOTODO HOLDINGS
ALL RIGHTS RESERVED

時代が変わっても　僕たちは
変わらず愛に生きるだろう
僕らが去っても残るのは
変わらぬ愛の歌なんだろう
時代が変わっても　僕たちは
頼りあっていかないか
僕らが去っても残るのは
愛の歌なのにかわりはな
Ah ah ah ah ah ah ah ah ah　い
Ah ah ah ah ah ah ah ah ah　い
Ah ah ah ah ah ah ah ah ah　い
Ah ah ah ah ah ah ah ah ah　い

「アニメ!」「タロウくんはチョウマル。」

第1話　運命の出会い

ある日、タロウは学校に行く。

いきなり大きな音がした。

ビルが壊れた。

見ると、大きい化け物がビルを壊していた。

タロウはびっくりして、脚が震えた。

強い力の黒い服の大人がいた。タロウはそのかっこいい姿に感動して、ワクワクしてきた。

「一緒に戦おう!」赤い髪の女の子が言った。

COPYRIGHT (c) 2024 TOTODO HOLDINGS
ALL RIGHTS RESERVED.

タロウは怖かった。
でも少女の目を見て、わからない勇気が出た。
「僕も…戦う！」タロウはいきなり風の力を感じた。
その時、いきなりタロウの手で風の刃が出た。
その大きい風の刃は化け物に向かった。
化け物は倒された。

「僕はタロウ。君たちは？」タロウは怖くても話をかけた。
「私はハナコ、青い目の彼はジロウ、そして黒い服のこちらはケンタさんだ。さあ、行こう！」ハナコはタロウに手を差し伸べた。

COPYRIGHT © 2024 TOTODO HOLDINGS
ALL RIGHTS RESERVED

第2話　友情の絆

タロウはハナコたちと一緒に秘密の場所に行った。

「ここが君たちの場所か…すごいな」とタロウはびっくりした。

「君もここで訓練しよう。君の力は特別だ」とジロウが言った。


ハナコたちはタロウに力を見せた。

ハナコは火の力、ジロウは水の力、ケンタはすごく強い体力を持っていた。

「ここで私たちはトレーニングしてるんだ。君も一緒に強くなろう！」とケンタがもう一度彼を説得した。


迷っていたタロウは自分の力をテストするとした。

毎日、ハナコとジロウが風の力を使い方を教えてあげた。

風を感じることから、風の刃を自由に使うことと盾を作ることなどを練習した。

俺の日本語

タロウは苦しかった。
力を使うと体が痛かったからだ。
しかし、その度に仲間たちが手伝ってくれた。
「君にはきっとできる。信じて！」とハナコが言った。
仲間たちのおかげで、タロウはどんどん自信を持った。

COPYRIGHT © 2024 TOTODO HOLDINGS
ALL RIGHTS RESERVED.

第3話　決戦の予感

ほどもなく、また街が化け物に攻撃された。
タロウたちはすぐに出動した。
化け物は新しい力があって、彼らを圧倒していた。
タロウは怖がっていた。
「もう無理だ…僕にはできない」と心の中で思った。
その時、ハナコが叫んだ。
「タロウ、君は一人じゃない。私たちがいる!行こう!」

タロウは震えながらも、仲間の顔を見て進んでいた。
「僕も、できるんだ…」自分に話した。
「ハナコ、危ない!」敵の攻撃をうけるところだったハナコの前に風の盾を作った。
訓練の成果だった。
「ありがとう、タロウくん!」タロウはまた訓練していた風の刃を使った。

COPYRIGHT © 2024 TOTODO HOLDINGS
ALL RIGHTS RESERVED.

震える手で敵を攻撃し始めた。
やはりタロウの力は特別だった。
風の刃を使ったタロウの攻撃に、結局化け物は倒れた。
タロウの合流でいいチームになれたのだ。
恐怖を乗り越えたタロウに、仲間たちは拍手を送った。
「今夜はパーティーだぜ！」

俺の日本語。

COPYRIGHT (c) 2024 TOTODO HOLDINGS
ALL RIGHTS RESERVED.

第4話　希望の光

訓練の日々が過ぎていった。

そんな日々の途中、ハナコはタロウを呼んだ。

今まで見れなかった真剣な顔で。

いつもの明るいハナコだとは思えないくらいの顔だった。

「タロウ、話がある。ちょっと来て」タロウは不安な予感がした。


「実は、新しい情報がわかったの。いいことと悪いことがあるんだけど、どっち？」ハナコは微笑みながら話を始めた。

さっきの真剣すぎる顔が気になってたようだった。

多分タロウの気遣いをしただろう。

「いいことから聞こうか！」タロウも微笑えんだ。

「敵が現れる理由がわかったわ。敵の中でボスが存在していたの。そのボスが化け物を作って、世界を滅ぼそうとしていたんだ。」その話を聞いたタロウは興奮して言った。

俺の日本語

「じゃ、そのボスさえ倒せればいいってことだろう？いいことだね」

微笑んでいたハナコはまた真剣な顔に戻った。

「次は悪いことを話してもらうね。その情報がわかった理由がある。」ハナコは固唾を飲んだ。

「数日前、そのボスから手紙が来た。『俺の大計画を邪魔する虫に送る最後の慈悲だ』と言いながら、一週間後に最後の戦争を起こすんだって」

この話を聞いたタロウは怖がっていた。

逃げ出したい気持ちも湧いてきた。

今まで戦ってきた敵も強かったのにいきなりボスなんて無理に決まっていた。

しかしここまでの経験で覚えた彼だった。

この人たち、仲間と一緒ならこんな自分も街の平和のために戦えるということを。

タロウは拳をぐっと握って言った。

「今回もよろしくね。」

COPYRIGHT (c) 2024 TOTODO HOLDINGS
ALL RIGHTS RESERVED.

第5話　決戦日

ついに、最終決戦の時が来た。

化け物たちの数がいつもより多かったせいで、タロウたちは苦戦した。

「化け物の反応を見て敵のボスの位置がわかった。

「今こそ、決着をつける時だ」とケンタが言った。

敵のボスが街を完全に支配する前に、彼らは先にボスに立ち向かうことを決意した。


ついにボスの居場所まで辿り着いたタロウたち。

戦いは始まった。でも戦いの中で、タロウは過去の自分の弱さを思い出した。

あまりにも強い力のボスと戦えれば、誰にもそうなるだろう。

でも背中を守ってくれてる仲間を見ると、わからない力が湧いてくる気持ちも同時にした。


その時、ジロウが叫んだ。「訓練してたあれ、使ってみようぜ!」

不安なタロウに前向きな考えができるはずがなかった。

COPYRIGHT (c) 2024 TOTODO HOLDINGS
ALL RIGHTS RESERVED.

「それ、失敗したらここで全員死ぬ！」その言葉を聞いたハナコは決意を固めた目をしてタロウの手を握った。

「私たちはここまでやってきたんだ。きっとできる。自分を信じて。できないなら隣の仲間でも信じればいいじゃん！」

タロウ、ハナコ、そしてジロウは自分たちの力である風、火、水の球体を作ってそのエネルギーを固めた。

やはり完成している技ではなかった。

そのエネルギーの球体は撃てるどころか、すぐにでも爆発しそうな様子だった。

ハナコがケンタに叫んだ。「これはダメだ！ケンタ、逃げて！」ケンタは笑いながら三人に話した。

「次はタロウでな」ケンタは三人の力が込められた球体を手に持って、ボスに突っ込んだ。

COPYRIGHT © 2024 TOTODO HOLDINGS
ALL RIGHTS RESERVED

第6話　怖がりのリーダー

戦いが終わり、街は平和を取り戻した。

タロウたちは日常に戻った。

「やっぱり学校って退屈だなー。まあ、戦ってた時に比べりゃ全然マシだけど(笑)」フラグの立つセリフを言うタロウのところに現れたのは転校生のハナコとジロウだった。

「みんな、転校生を紹介するね。名前はハナコちゃんとジロウちゃん。仲良くしてあげてねー」タロウの目は見張った。

「ハ、ハナコ…なんでここに!」ハナコは相変わらずの笑顔でささやいた。

「大事な話がある。」

ハナコは新たな脅威が迫っていることを察知したそうだ。

「最近、奇妙な現象が増えている…」ジロウは真剣な顔で言った。

空が不気味に赤く染まり、自然災害が多発するようになった。

新たな脅威の兆候だと感じ取ったハナコとジロウがまたかたまるためにやって来たのであった。

俺の日本語

「次の目的地は古代の神殿だ。あそこには、世界の秘密が隠されているそうだ。俺らが倒したボスの仕業の理由などがな。それだけ知れば、永遠の平和ってのも夢の話じゃないかもしれない」ジロウが説明した。

「黒幕は消えたんじゃなかったのかよ…」タロウがため息をついた。

「私たちもそうだと思ったけどね。仕方があるまい！でも、私たちならきっと突き止められるね。行くよ、怖がりのリーダー！」ハナコが微笑んだ。

COPYRIGHT (c) 2024 TOTODO HOLDINGS
ALL RIGHTS RESERVED.

俺の休憩は推進力を得るため！「3」

일본인이 라인으로 쓰는 말 10개를 알아보자

1. スタレン（이모티콘 도배）

일본에서는 이모티콘을 スタンプ라고 하는데, 스탬프 연발(スタンプ連発《れんぱつ》)이라는 표현의 줄임말이다.

2. こちゃ（갠톡）

개인챗(個人《こじん》チャット)의 줄임말이다.

3. グルチャ（단톡）

그룹챗(グループチャット)의 줄임말이다.

4. 既読無視《きどくむし》（읽씹）

일본에서는 상대방이 메세지를 읽으면 '읽음'이 아니라, 이미 기 + 읽을 독 자를 쓴 '기독(既読)'이라는 표시가 뜬다. 그렇게 띄우고 무시하는 것이 기독무시다.

COPYRIGHT (c) 2024 TOTODO HOLDINGS
ALL RIGHTS RESERVED

5. りょ（ㅇㅋ）

‘잘 이해했다’, ‘알겠다’라는 뜻을 가진 了解《りょうかい》의 줄임말이다.

6. あーね（아~ 그렇지）

「あーそうだね」의 줄임말이다. 잘못 쓰면 관심이 없어 보여서 서운해 할 수도 있다.

7. はよ（빨）

‘빨리’라는 뜻의「早《はや》く」의 줄임말이다.

8. おつ（ㅅㄱ）

‘수고했어’라는 뜻의 「お疲《つか》れ様《さま》」의 줄임말이다. 진짜 수고했다는 의미로도 쓸 수 있고,

‘너 큰일났네 ㅋㅋ 수고’라는 뜻으로도 쓸 수 있다.

9. ブロサク（차단하고 삭제）

‘차단’, ‘블록’이라는 뜻의 「ブロック」와 ‘삭제’라는 뜻의 「削除《さくじょ》」를 붙인 단어다.

10. キレる（빡치다）

‘개빡침’은 「ブチギレ」라고 한다.

エピローグ

ドドトは子供の頃から人からやらせられるのが大嫌いだった。

自分が好きなこともやらせられたらすぐ冷めてしまって、やるのを辞めてたぐらいだ。

それに記憶力は非常に良くない。

俺が好きじゃないことは全然覚えられないし、それを覚えるためには暗記ではなく理解が必須だったのだ。

なので学校でテストを受けるためには普段に勉強をしないとダメだった。

いわゆる、「벼락치기」という勉強法ができなかったのだ。


そんな俺なので何かを覚えるために人より何倍は時間をかけないといけないし、したいことじゃなくてしないといけないことをする時には何倍も意志力が必要だ。

苦労はしたが、それで得たものがある。

COPYRIGHT © 2024 TOTODO HOLDINGS
ALL RIGHTS RESERVED.

「好きなことだけをしながら生きる人生はできる」と「自分自身で悩んで頑張ればなんでもできる」という事実だ。

それに頭が良くない、初心者の心をよく分かるのはおまけ。


22歳の俺は軍隊の中で日本語の勉強を始めた。

そこで初めて知った。

「勉強ってこんなに幸せなことなんだ!」と。

ネットに溢れる情報、流行ってる勉強法、俺には全部合ってなかった。

それでたどり着いたのがこの本の内容だ。

自分に良かった勉強法を紹介するのもすごく立派なことだと思うが、それより自分に合う勉強法を探せるように手伝うこと。

これが魚の捕り方だと信じている。


これで自分だけの勉強法が最強だったことが分かったら、あなたはそろそろ気づいてください。

日本語の勉強方法だけじゃないという事実を。

日本語を超えて、また他の言語。

他の言語を超えて、自分がやりたいこと。

自分がやりたいことを超えて、自分の人生を丸ごと。

自分が作った自分だけの道が最強なのを分かる瞬間、この世界という舞台の主人公は自分になる。

自信を持ってください。
自分を信じてください。
自分だけの道を歩んでください。
俺は俺の世界で、いずれ会うかもしれないあなたの世界のあなたを待ちます。
俺の日本語、
俺のだけの日本語。

ドドト

COPYRIGHT (c) 2024 TOTODO HOLDINGS
ALL RIGHTS RESERVED

俺の日本語。

한글판「私の日本語。」

출간 예정.

(표지 디자인은 바뀔 수 있습니다)

COPYRIGHT (c) 2024 TOTODO HOLDINGS
ALL RIGHTS RESERVED.

ドドト(도도토)

1997年6月24日、水原出身。血液型O。ファッションモデル、タレント、実業家。現代オタクの界でスーパースターと称される。有限会社「토토도 홀딩스」の会長を務める。中学校1年生に「俺の妹がこんなにかわいいわけがない」・「どらドラ！」・「イナズマイレブン」・「Angel Beats!」などを見ながらオタクの世界に踏み込む。軍隊で日本語の勉強を始め、軍隊転役後、日本のYouTubeのチャンネルの「ホシイちゃん」を作る。その後、いろんなチャンネルをやって今の「オタクスーパースター ドドト」チャンネルが降臨。約1年半、全てのオタクに愛され続け、今はオタクスーパースターとして韓国のオタク文化の先進のために努力している。YouTubeのチャンネルの運営するかたわら、韓国のオタクたちのために韓国のオタクの拠点になる「토토도」サイトをオープン、「俺の日本語」をランチングし、ファンション・恋愛・マインドセット・オタクイベントなどのセクシーなオタク文化を作っていく予定である。

OFFICIAL WEB SITE: totodo.kr

YouTube: youtube.com/@dodoto_otaku

Instagram: dodoto_otaku

俺の日本語。

2024 년 6 월 26 일　제 1 판발행

2024 년 9 월 25 일　제 8 판발행

저자　ドドト (도도토)

발행　토토도홀딩스

출판사등록　2024.07.02(제 2024-189 호)

주소　서울특별시 강남구 도산대로 49 길 6-7 501 호

전화　010-6469-1423

이메일　hanora1423@gmail.com

ISBN　979-11-988526-0-1

tototo.kr

ⓒ ドドト(도도토) 2024

본 책은 저작자의 지적 재산으로서 무단 전재와 복제를 금합니다.

「오레노 니홍고。」의 감상을 토토도 사이트에 리뷰로 남겨주세요!

COPYRIGHT (c) 2024 TOTODO HOLDINGS
ALL RIGHTS RESERVED.